奴隷国家ニッポン

欧米と中韓のズル賢さを見習おう

森口 朗

Akira Moriguchi

目次

第1章　騙され続ける日本人

●騙され続ける日本人

本書は権力とメディアに騙され続ける多くの日本人に捧げるために書きました。

日本人は、戦争犯罪により数十万人（数百万人？）の同胞を殺したアメリカの戦後政策に感謝するお人よしです。日本人は有色人種の「人間動物園」を造って遊んでいたヨーロッパ人に憧れる世間知らずです。そのくせ自分達を高学力だと信じる痛い（今では中国人の方が遥かに高学力です）性格で、なぜか隣国のコリアンを始め多くの国からお金をたかられ続けています。

その結果、今では働いても生活保護以下の暮らししかできない人が大勢います。

誰が悪いのでしょうか。そんな政策をする政府でしょうか、もちろん政府に責任はあります。日本の悲惨さを生む理由まで掘り下げない文系学会やマスコミでしょうか、彼らも無責任ではないでしょう。しかし、言うまでもなく最大の責任は主権者にあります。日本はGHQに押し付けられた日本国憲法により、国民が主権者になりました。ですから、この情けない国の最終責任は私達国民にあるのです。

共産主義国家のボス「ソ連」が崩壊し、全ての共産主義国家で拷問や虐殺が行われていたと分かっても共産主義や社会主義を捨てないボケ老人と彼らにゴマをする若手が大勢住む日本の学会。米ソ冷戦終了後、日本の経済発展を敵視しだしたアメリカと、アメリカの命令に従い続ける売国奴だらけの政治家達。韓国を美化し続ける多くのマスコミなど、彼らの悪質さを挙げることは容易ですが、それでも騙され続ける国民に責任がある、それがデモクラシー国家のルールです。国民が騙され続けた結果が、平和で治安が良いのに一切経済発展せず、税金はどんどん高くなり、庶民の暮らしは生活保護以下になっても暴動一つ起きない「不思議な国」それが今の日本です。

第二次世界大戦の終了により日本を支配したGHQの目標は、我が国を「奴隷国家」にすることでした。その彼らさえ、まさかここまで上手くいくとは思っていなかったでしょう。文系学会も政府もマスコミも真実を国民に伝えない詐欺師集団です。本書は彼らの詐欺の手口を可能な限り分かりやすく書いたつもりです。私も還暦を過ぎましたから、自分が生きている間に日本が立ち直れるとは思っていません。それでも酷い日本の現状を書き残すのが、「不思議な国」から立ち直る第一歩と信じています。

本章では、日本の悲惨な現状を明らかにしたいと思います。

次章以降では、そんな日本を横目に発展し続ける他国の人々が如何に「嫌な奴」か。だけどそんな「嫌な奴」を見習わなければ国は発展しない。「嫌な奴ら」だけが美味しい思いができる。それが世界の現実なのです。

●日本のGDP成長率は21世紀に内戦をした国々よりも少ない

21世紀になってマスコミが大きく改善した点は、日本だけが経済成長していない事実を伝えるようになったことです。残念なのは「日本だけが経済成長していない事実」を説明する時の比較対象が欧米諸国や中国、韓国にしている点です。これでは日本の異常性に気づけません（図表1）。マスコミだけでなく、政治家にゴマをするのが仕事になった霞が関も、票を取ることしか関心のない政治家も日本の異常性を訴えません。

21世紀になって全く経済成長しない我が国経済の異常性は、欧米諸国や中国、韓国といった近隣諸国よりも21世紀に内戦があった国々と比較する方がより鮮やかになります。平和どころか治安が世界トップレベルで、国民に働き者の多い日本が全く成長しない異常さは、内戦をした（している）国々以下だと知ることで理解できるのではないでしょうか。

●「無能で不道徳な国民」が前提の政治

なぜ、こんなに酷い経済状態が国民に知らされないのか。国民の代表者である政治家が

図表１　アジア各国のGDP

単位：ドル

	2000年	2021年	2021年/2000年	内戦期間
日本	4,968,359	4,940,878	0.994	
スリランカ	19,132	85,309	4.459	1983〜2009
シリア	19,666	19,719	1.003	2011〜現在
アンゴラ	12,207	77,901	6.382	1975〜2002
ミャンマー	8,694	58,582	6.738	1948〜現在
リビア	39,471	39,006	1.014	2011年のみ

（国連統計の名目ＧＤＰより作成）

国民を軽蔑しているからです。一人一人の政治家がそうでなくても、日本の政治制度が「国民は無能で不道徳」を前提にしているからです。

敗戦時（１９４５年）からソ連崩壊（１９９１年）までは、日本の選択は「アメリカの属国」になるか、「ソ連の属国」になるかの２択でした。それゆえ、自民党に票を入れるか、共産党や社会党に票を入れるかを悩んで投票行動をする日本人の態度は間違いではありませんでした。しかし、日本人の多くは21世紀になっても、アメリカに尻尾をふるくせに保守派を名乗る「売国奴」に票を入れるか、共産主義や社会主義を信じているくせにリベラリストを名乗る「極左」に票を入れるかが、政治選択だと考えています。これこそ、日本が発展しない本質です。デモクラシー国家は、国民のレベルが政治家のレベルを決めるので、これでは日本だけが成長できないのも仕方ありません。

政治家は国民をバカにしていますが、国民も政治家に期待していないのです。間接民主制（国民が政治家を選び、政治家が政策を決める）では、自分達の思いを実現してくれる人を自分達の代表にするのが常識なのですが、日本にはそもそも「立派な人が政治家になるべき」という価値観がありません。それどころか「インテリは気位が高そうで嫌い」という価値観が投票行動に影響するせいか、政治家はバカのフリをしないと選挙に当選しにくいという風潮まであります。

●「無能で不道徳な国民」が前提の選挙制度

なぜ、こんな風潮になってしまったのでしょう。

第二次世界大戦に敗れ、ＧＨＱに憲法改正を強要され、主権者は天皇から日本国民に変更されましたが、「(日本) 国民は無能で不道徳」を前提とした選挙制度をＧＨＱも当時の日本政府も変更しなかったからです。

日本に普通選挙が導入されたのは、主権が国民に移った戦後ではありません。25歳以上の男性だけではありましたが、主権が天皇にあった１９２５年に導入（選挙実施は１９２

８年）されています。それ以前は制限選挙ですから多額の所得税を払う人にしか選挙権はありませんでした。それがいきなり庶民にも選挙権が与えられたのですから、普通選挙の導入は当時の大改革でした。

小泉進次郎氏の曽祖父（小泉元総理の祖父）である小泉又次郎が、初めて投票する庶民に対し、「投票に行くのに羽織、袴を着る必要はない、平常服や仕事衣のままで投票するような習慣をつくろう」といった趣旨の呼びかけをしたくらい、当時の庶民にとって普通選挙導入は大きな出来事だったのです。

その一方で、当時の政治家や役人は「国民は無能で不道徳」と考えていましたから、国民の政治運動に縛りを付けました。教育学会は左翼だらけなので学校教育では、「明治国家は普通選挙法の成立と同時に社会（共産）主義運動を取り締まるために治安維持法を成立させた」と、それが問題だったかのように日本史などで教えられています。でも、共産主義の危険性から考えれば、彼らを取り締まるのは当然です。アメリカではマッカラン国内治安維持法により１９５０年からソ連が崩壊する１９９１年まで共産党を取り締まっていたし、戦後に誕生した西ドイツでは、憲法で共産党の存在そのものを否認しました。共産主義の取り締まりは、非民主的でも軍国主義でも国民への「鞭《むち》」でもないのです。

現代にまで続く大問題は、共産主義や社会主義の取り締まりではなく、「国民は無能で不道徳」を前提に、選挙時の「戸別訪問」「人気投票」などを禁止している点です。アメリカの大統領選挙は日本のメディアでもよく紹介されていますが、誰を共和党や民主党の候補者にするかに始まり、多くのメディアが人気投票を実施し、それぞれの支持者が戸別訪問やホームパーティを積極的に行っています。当然です。国民が主権者なのですから、彼らが自分の代表者を誰にするのが適切かを考える機会は多ければ多いほど良いのです。アメリカだけではありません。戸別訪問や人気投票こそ、国民が国の主人であり、国民が信頼する人を自分達の代表にする投票が重要だと実感させてくれるのです。イギリスでは戸別訪問は「ドア・ノッキング」と呼ばれ、最も重要な選挙活動と位置付けられています。

しかし、1925年当時の政治家や役人達は、普通選挙を導入しても、日本を民主主義国家にするつもりはありませんでした。あくまで主権は天皇にありましたから、天皇に尽くすことこそ素晴らしいと多くの人は信じていたのです。しかし世界の潮流から普通選挙を実施せざるを得ない。そこで当時の政治家や役人は、庶民にも選挙権は与えるけれども自由な政治活動は許さないと「戸別訪問」などを禁止したのでした。

「戸別訪問」を許すと「情実で票を入れるおそれがある」「投票買収等の不法不正行為を

助成するおそれがある」ことが禁止の理由でした。制限選挙時には候補者が、様々な有力者の宅に戸別訪問する行為は許されていたのですから、当時の政府が如何に庶民を軽蔑していたかが理解できます。

「自分達は能力だけでなく道徳的にも（多くの）日本人よりも優れている」と妄想した点において、1945年から数年、日本を支配したGHQと敗戦時の日本側支配者の思いは同じでした。だからこそ、国民を主権者としながら国民の選挙活動を縛り付ける制度を維持したのでした。

「国民は無能で不道徳」を前提とした選挙制度は、他のまともなデモクラシー国家にはありません（敗戦当時、日本だった韓国にはあります）。なぜ、敗戦時の選挙制度が今も生き続けているのか。私は、現役政治家達にとって、国民は「保守派を名乗る売国奴」や「リベラリストを名乗る極左」に騙され続けるバカであってほしいからだと推測しています。

●ポツダム宣言は日本奴隷宣言

日本国憲法の制定により日本は民主主義国家になったはずなのに、どうして愚かな国民を前提にした選挙制度が憲法上許されるのでしょう（最高裁は「戸別訪問禁止」など非民主的な制度に合憲判決を出し続けています）。

それは日本という国自体がアメリカを中心とした戦勝国の奴隷国家だからです。と言われてもピンとこないと思うので分かりやすい例を出しましょう。

いわゆる「名家」を自認する人が
「私達はあなたを我が家の奴隷にするつもりはありません。私と結婚してください」

とプロポーズしてきたらどう思いますか。

「この人達は名家なのに私を奴隷にするつもりはないんだ。なんて優しいのだろう」

と考えますか、それとも
「婚姻の際に『奴隷』なんて言葉が出るなんて、どう考えても本音は私を『奴隷』にしようと思っているに違いない」

と考えますか。前者は頭が悪いか、育ちが善すぎて人を疑えないか、のどちらかです。

それが今の日本です。日本は敗戦時に戦勝国アメリカ、アメリカ側にいただけで勝ったつもりのイギリス及び中華民国と事実上の奴隷国家契約を結びました。それがポツダム宣言の受諾です。ポツダム宣言の受諾が事実上の奴隷契約である証拠は、同宣言第10条の次の言葉です。

「We do not intend that the Japanese shall be enslaved as a race or destroyed as a nation, but stern justice shall be meted out to all war criminals, including those who have visited cruelties upon our prisoners. The Japanese Government shall remove all obstacles to the revival and strengthening of democratic tendencies among the Japanese people. Freedom of speech, of religion, and of thought, as well as respect for the fundamental human rights shall be established.」

（和訳）「我々は、日本人を人種として奴隷にし、国家を破壊する意図はないが、我々の捕虜に残虐行為を行った者を含むすべての戦争犯罪者に対して、厳しい正義が下されるものとする。日本政府は、日本国民の民主主義的傾向の復活と強化に対するあらゆる障害を除去するものとする。言論、宗教、思想の自由と基本的人権の尊重は確立されなければならない。」

これだけを読むと多くの日本人には、ポツダム宣言の異常さが理解できないかもしれませんが、その数十日前にドイツに向けて発せられたベルリン宣言と比較すると、如何に連合国が日本をまともな国扱いしていなかったかが分かります。そこには戦争を推進した人を逮捕し、ドイツを非武装化する旨は記されていましたが、「人種」「奴隷」などの言葉は一切ありません。

ユダヤ人を奴隷として働かせ、ついには虐殺したドイツ人に向けた宣言には「人種」や「奴隷」を一切記載せず、「白人」からのアジア解放を建前に戦った日本政府に「人種」「奴隷」を記載した宣言を受諾させる。まさしく戦勝国の「奴隷」になる覚悟を持てと脅迫したのが当時の連合国であり、ボスのアメリカだったのです。

今でも日本には多数の米軍基地があり、その上空数十キロの支配権は米軍にあります。アメリカは世界最強国ですし、米軍基地は敗戦国のドイツやイタリア（そしてアメリカの母親的立場にあるイギリス）にも存在しますが、上空支配権を米軍が持つのは日本だけです。西欧諸国と異なり日本は今もアメリカの奴隷国家なのです。

●「豊かな奴隷」から「貧しい奴隷」へ

それでも、冷戦終了までの日本は「豊かな奴隷」でした。今では信じられませんが、ソ連が崩壊して冷戦が終了した１９９１年の段階の一人当たりＧＤＰで、日本はアメリカを上回っていたのです。アメリカにとって軍事的優位こそが最重要テーマだったので、奴隷国家の庶民が自国の庶民よりも多少豊かでも許せたのでしょう。しかし、冷戦が終了し経

図表２　日米の一人当たりGDP

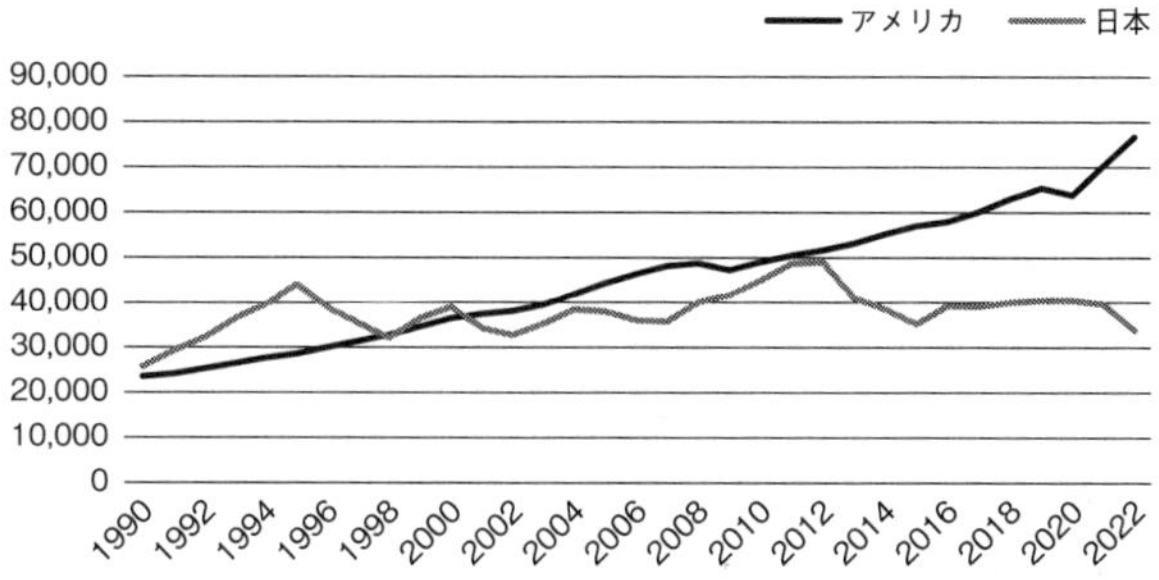

（IMFデータより作成）

済戦争の重要性が高まった21世紀、奴隷国家の豊かさを許せるはずがありません。アメリカは様々な経済要求をするようになり、売国奴政権もこれに従いました。その結果が図表２です。２０２２年、ついに日本の一人当たりのＧＤＰはアメリカの半額になりました。

「豊かな奴隷」から「貧しい奴隷」へ。これが21世紀に日本が歩み、このままだと歩み続ける道なのかもしれません。

●コリアン批判はＧＨＱに禁じられた

日本の芸能界は、ゲイのオヤジが若者を食いまくっても問題にならない腐った業界です。日本のメディアは、そのオヤジを死ぬまで（死んでも？）批判できなかった情けない業界です。日本は、この情けない現状を国際連合に批判されました。それでもメディアは自分達の情けなさを認めたくないのか、この問題を「ジャニーズ問題」と呼び、あたかも自分達には責任がないかのように報道しています。なんと厚かましい人達なのでしょう。

しかし、厚かましさという点で日本メディアの遥か上を行くのが国際連合です。国際連合は第二次世界大戦における連合軍（United Nations）の勝利が、ほぼ確定的になった1945年4月から6月にかけて開かれたサンフランシスコ会議で設立が決まりました。設立こそ第二次世界大戦後の1945年10月24日ですが戦勝国によって造られた組織そのものなのです。その意味で、戦後日本を支配した連合国軍機関であるGHQ（連合国軍最高司令官総司令部）と国際連合は、同根と捉えるべきです。

なぜ、日本のメディアは芸能界を批判できないのか。芸能界が在日コリアンが多いからです。では、なぜ日本のメディアは在日コリアンを批判しないのか。GHQに命令されたからです。戦争末期の日本メディアは軍部に命じられるまま偽の情報を国民にばらまいていましたが、その反省からか敗戦直後は立派でした。それを象徴するのが今は無き（あ、まだありましたっけ?）「朝日新聞」の次の記事です。

「〝正義は力なり〟を標榜する米国である以上、原子爆弾の使用や無辜の国民殺傷が病院船攻撃や毒ガス使用以上の国際法違反、戦争犯罪であることを否（いな）むことは出来ぬであらう」（鳩山一郎 談話）（「朝日新聞」 1945年9月15日）

これを見たGHQは朝日新聞に業務停止命令を出した上で、今後、奴隷国家日本のメディアが自分達に逆らわないために「日本に与うる新聞遵則《じゅんそく》」と「日本放送遵則（Radio Code for Japan)」（いわゆる「プレスコード」）という指令を出しました。プレスコード（許されなかった）の内容は次の30項目です（次頁）。

百歩譲って、GHQが戦勝国への批判禁止を受け入れたとしても「朝鮮人への批判」も検閲されたことは許せない、それがまともな日本人の感性ではないでしょうか。

日本の芸能界は、在日コリアンが「日本は世界の恥」と叫んでもその人の仕事は減らないけれど、愛人関係を週刊誌に報じられると仕事を干される異常な世界です。このダメダメ日本のスタートはGHQ＝国際連合による支配に始まるのです。

1	連合国軍最高司令官もしくは総司令部に対する批判
2	極東国際軍事裁判批判
3	ＧＨＱが日本国憲法を起草したことの 言及と成立での役割の批判
4	検閲制度への言及
5	アメリカ合衆国への批判
6	ロシア（ソ連邦）への批判
7	英国への批判
8	朝鮮人への批判
9	中国への批判
10	その他の連合国への批判
11	連合国一般への批判（国を特定しなくとも）
12	満州における日本人取り扱いについての批判
13	連合国の戦前の政策に対する批判
14	第三次世界大戦への言及
15	冷戦に関する言及
16	戦争擁護の宣伝
17	神国日本の宣伝
18	軍国主義の宣伝
19	ナショナリズムの宣伝
20	大東亜共栄圏の宣伝
21	その他の宣伝
22	戦争犯罪人の正当化および擁護
23	占領軍兵士と日本女性との交渉
24	闇市の状況
25	占領軍軍隊に対する批判
26	飢餓の誇張
27	暴力と不穏の行動の煽動
28	虚偽の報道
29	ＧＨＱまたは地方軍政部に対する不適切な言及
30	解禁されていない報道の公表

●LGBT推進法成立は「奴隷国家」の証明

私が一貫して全ての左翼（学者、政治家、マスコミ、労働組合等々）を非難し続けるのは、彼らの詐欺師体質が許せないからです。決して、経済的弱者を救おうという考えを否定するつもりはありません。しかし、左翼を批判するだけで「右翼」扱いされるのが、現在の左に傾いた日本の言論界です。

明治国家成立から敗戦までの日本を是と考える人々を「右」や「保守」と言うなら、私は「右」でも「保守」でもありません。明治から敗戦までの日本は欧米諸国が世界中を侵略する中、仕方なく伝統的な日本の姿を捨てた異形でしかないと考えるからです。その点について「右」や「保守」と位置づけられている政治家や言論人にも違和を感じます。

GHQ支配下の日本は「日本の伝統」を主張するだけで「封建的」、あるいは国益を主張するだけで「右翼」扱いされる異常な奴隷国家でした。敗戦から冷戦が終わる20世紀後半の左右対立は

「ソ連の奴隷になりたがる極左（社会党、共産党）」vs「アメリカの奴隷のままでいようとする詐称保守（自民党）」

の争いに過ぎませんでした。だったら、冷戦が終わり、世界各国が政治システム・経済

システムを問わず国益を競い始めた21世紀現在、政治的課題は「国益」や「日本の伝統」から考える姿勢こそが正常な「保守」です。今なお奴隷国家の日本では、国益や伝統に加えて「主権を傷つけられていないか」が、それらに引けを取らず大切なはずです。

ＬＧＢＴ推進法の成立の真の問題は、ＬＧＢＴＱへの対応ではありません。そもそも日本は一神教に洗脳され、何事も「善」「悪」に切り分けてしまう幼稚な文化を持ちません。それゆえ、中世はもちろん近代以降もレズやゲイを罰し続けた欧米諸国のように、幼稚な性モラルを持たないのです（20世紀中ごろまで敬虔なクリスチャンには、男女の性行為さえ正常位しか許されませんでした）。それどころか薩摩武士の強さは若いころに築いた男性同士の性的関係を基礎にするという説まであります。

なぜそんな日本が、急にＬＧＢＴ推進法を作ったのか？

アメリカがバイデン政権になって以降、世界中のレズビアン、ゲイ、バイセクシュアル、トランスジェンダー等の人権擁護に関する覚書を発令し、諸外国を彼らが生きやすい国にすることを外交政策の一つに挙げたからです。それを受けて２０２３年の春にラーム・エマニュエル駐日大使が「日本は早期に法律を制定すべきだ」と圧力をかけてきました。

２０２１年にバイデン大統領が外交政策を明らかにした途端、売国政党（自民党）も左翼政党（立憲民主党ほか）もすぐにＬＧＢＴＱを保護する法律を作ろうとしました。しかし、自民党の「理解増進法案」と野党の「差別解消法案」を一本化できず、奴隷国家日本の政治家達はご主人様（米大統領）に褒めてもらえませんでした。その結果、２０２３年に駐日大使から「早く作れ」と叱られた。それが急にＬＧＢＴ推進法が成立した理由です。

この法律ができて「自分の心は女だ」と信じるオヤジが女性トイレを使おうが、女性風呂に入ろうが知ったことではありません（それを「キモい」と感じた女性達が、今後、売国政党に票を入れなくなるなら、それは大歓迎ですが）。忘れてならないのは、普段「愛国者」ぶっている「右」の政治家達が、アメリカによる日本への主権侵害という本質的問題を一言も語らず、本当の論点を国民に隠した点です。

●昔のインド＝今の日本

日本は今でもアメリカの奴隷国家だと実感できたでしょうか。

第二次世界大戦前も、今の日本のような国がありました。アフリカや東南アジアではありません。その地域の多くは普通の植民地でした。中華民国でもありません。中華民国は欧米諸国に多数のエリアを取られ、一時期の明治国家と同じく不平等条約を押し付けられていましたが、奴隷国家ではありませんでした。答えはインド帝国です。

日本の学校教育では、インド帝国（現：インド、パキスタン、バングラデシュ、ミャンマー）と他の植民地エリアの違いを教えませんが、両者は明確に異なります。インド帝国はイギリスの君主がインド皇帝を兼ねる同君連合だったのです（もちろん、事実上はイギリスの植民地でしたが）。今でも、オーストラリアやカナダなどイギリス王を自国の君主（国王）・元首として戴く国は存在します。インド帝国も建前上はこれらと同形でした。

インド帝国がカナダやオーストラリアと異なるのは、イギリスやその他の国では「王」「女王」に過ぎない彼（女）らがインドでは「皇帝」だった点です。皇帝の下に従来の藩王をそのまま置き、彼らが支配する藩で軍隊を持つことも許しました。イギリスに支配される前からインドは各藩の王達が土地を奪う争いを繰り返していたので、支配者藩王の上にイギリス人の皇帝がついても、インド人の生活は大きく変わりませんでした。それどころかインド帝国下で綿花、茶、アヘンなどの商品作物を平和に栽培できたことで裕福になった人も少なくありませんでした。

実態は植民地なのに、建前は独立国。まさに今の日本と同じではありませんか。

戦後、不当な軍事裁判（東京裁判）が行われ、罪のない末端の軍人がBC級戦犯として処刑された事実は教養ある方なら、誰もが知るところです（左翼教育しか受けていない人はＡ級戦犯の処刑しか知りませんが）。

また、酷い軍事裁判の中でインド代表判事だったラダ・ビノード・パールだけが、Ａ：平和に対する罪、Ｂ：（通例の）戦争犯罪、Ｃ：人道に対する罪の３つの罪のうち、平和に対する罪と人道に対する罪は事後法で、罪刑法定主義に反するとして、平和に対する罪で訴追されたＡ級戦犯の全被告人は無罪とした事実を知る人も多いはずです。

ではなぜ、「植民地」だったはずのインドから、戦勝国の軍事裁判に判事が登場するのか。それは「インド帝国はイギリスと友好な独立国である」という建前があったからです。

●ＧＨＱが天皇を残した理由

当時のインド帝国と比較すると「なぜ、アメリカが天皇を残したか」も分かるはずです。

共産主義を信じる左翼達は天皇制（皇室制度）の存続を「戦後改革は中途半端だった」と批判し、保守派は「昭和天皇の人格に感動したマッカーサーが皇室制度の存続を決めた」と妄想しますが、マッカーサー一人にそれ以降の日本の政治制度を決める実質権限がある はずもなく、連合国が制度維持を決定した理由は「その方が支配しやすい」と判断したからとしか考えられません（オーストラリアや中華民国は最後まで皇室制度の廃止を主張していました）。了解を得る際に昭和天皇の人格を褒めた可能性はあると思いますが。

「奴隷国家にしても末端の国民は気が付かない」

「イギリス王を皇帝にするよりも、より上手な植民地支配だ」と本国幹部は手を叩いて喜んだことでしょう。

●平均寿命は長いが「健康寿命」は短いというウソ

政府のウソは、国家の在り様というスケールの大きなモノだけではありません。税金、年金、健康など人々の暮らしにもウソは行き届いています。役人の方がデータ作りとセットで詐欺行為をするのでウソが上手です。最近よく聞くようになった「健康寿命」も上手なウソです。

「日本は、平均寿命は長いけれど健康寿命が短く、最後の数年は寝たきりになる人も少なくありません。そうならないように健康に気を付けましょう」

という声をよく聞くのではないでしょうか。この情報を発信しているのは、厚生労働省です。厚生労働省ホームページ「e-ヘルスネット（情報提供）」では、図表3とともに次

図表３　日本人の健康寿命

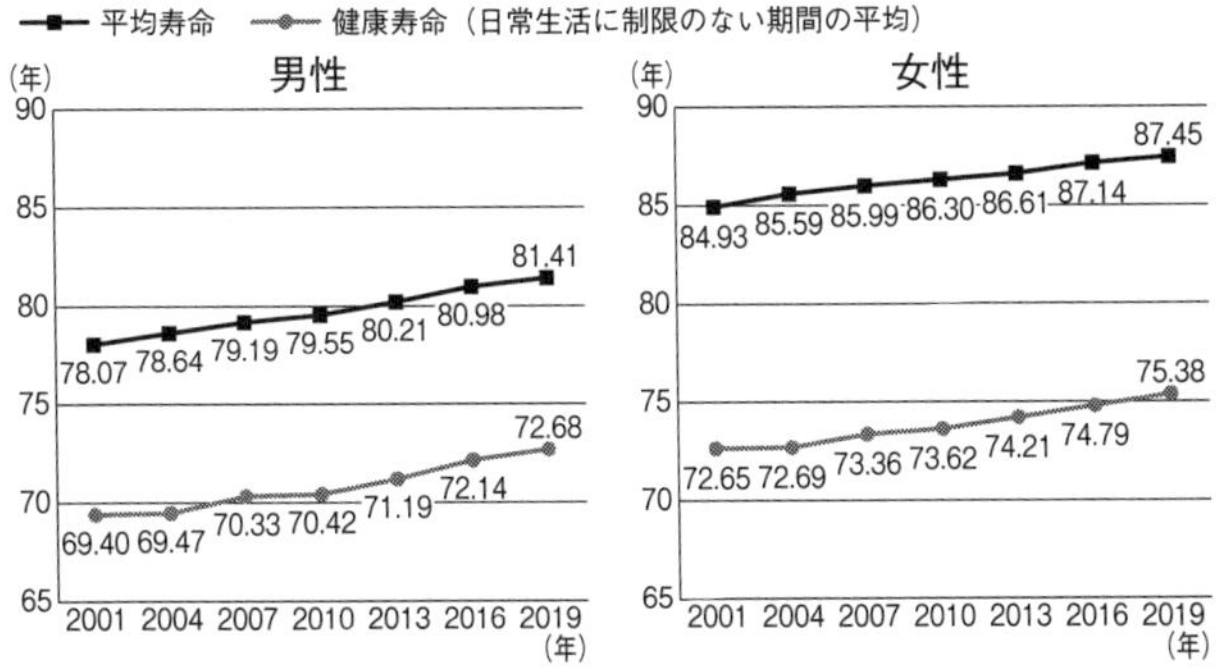

（厚生労働省HPより）

のような文章が記載されています。

「２０１９（令和元）年における我が国の平均寿命は男性81・41歳、女性87・45歳であり、健康寿命とはそれぞれ約９年、約12年の差があります。」

健康寿命が本当に「日常生活に制限のない期間」が終わる時ならば、健康寿命が尽きた人達を待っているのが本当に「介護」ならば、これは大問題でしょう。

しかし、周りの人達を思い出してください。男性で平均約９年、女性で約12年も介護の期間があるとしたら、亡くなる前の１年間だけ介護を受けた方と同じ数くらいは、20年前後の介護を受けた人々がいるはずですが、そんな人は極少数です。

では、なぜ、こんなインチキ・データが出てくるのでしょう。

1つ目は、国の調査方法がデタラメだからです。健康寿命の数値は、厚生労働省国民生活基礎調査により、全国から無作為抽出された国民を対象に、「あなたは現在、健康上の問題で日常生活に何か影響がありますか」と尋ねて、「ある」と回答した人は不健康、「ない」と回答した人は健康とみなして計算したものです。つまり、たまたま調査を受けた人が、虫歯が痛くて「日常生活に健康上の影響がある」と感じていて、正直に「ある」と答えたら、その方は見事に「健康寿命」が終了したとカウントされるのです。調査対象は無作為に抽出された国民ですから、虫歯やアトピーで苦しむ子ども達、生理痛が始まったばかりで辛《つら》い少女も「健康寿命」の終了に貢献しているのです。

2つ目は、「健康寿命」そのものが未定である点です。

健康寿命は、市区町村レベルでも調査していますが、国は自治体に「健康寿命」には(1)、(2)、(3)の3つがあると示し、厚生労働省は(1)と(2)をブレンドした概念から「健康寿命」を算出しているが、各市区町村は「介護」データから(3)で出しても良いと指導しています。

つまり「健康寿命」とは何かさえ決まっていないのです。

(1)日常生活に制限のない期間の平均

（2）自分が健康であると自覚している期間の平均
（3）日常生活動作が自立している期間の平均

3つ目は、「介護」のイメージと実態の乖離です。

市区町村の中には（3）を妥当として介護データから「健康寿命」を算出している自治体があります。その場合は、介護2から5の認定者が「不健康」、それ以外の人が「健康」となり、客観性の高い指標ではありません。しかし、介護に至った理由は問わないので、老齢だけでなく事故が原因で介護が必要になった方（「健康寿命」終了は事故当日）や、生まれた時からの身体障害者もカウントされます。これでは、医学が進歩して事故後の生存率が上がり、身体障害児が無事に生まれる確率が上がると「健康寿命」が短くなるという致命的欠陥が発生します。

健康は大切ですが、中身も知らずに「健康寿命」概念を振り回す背後には、健康を謳《うた》う商業利権があるとしか思えません。

ちなみに「ニッセイ基礎研究所」は平均余命と介護期間をしっかりとデータとして発信しており、それによると65歳男性の平均余命は19・55歳で平均要介護期間は1・67年、65歳の女性は平均余命が24・38年で平均要介護期間は3・47年です。つまり、男性は84歳まで生きて最後の1年半が介護され、女性は89歳まで生きて最後の3年半が介護される、というのが「普通の人」の老後なのです。政府やマスコミが流すウソと異なり、実感に近いのではないでしょうか。「65歳の人が、今後〝健康〟でいられる期間は？ ―人生100年時代は、『健康寿命』ではなく『健康余命』で考える」基礎研REPORT（冊子版）3月号　ニッセイ基礎研究所（nli-research.co.jp）

●政府やメディアが発するウソの数々

「健康寿命」以外にも日本人は様々なウソで騙されています。分野も数も多すぎてランダムになりますが、そのいくつかを紹介します。

1　専業主婦はニートにカウントされるのが世界の常識

ジェンダー、ジェンダーと騒ぐ人やその声を取り上げるマスコミが決して日本人に明かさない真実です。これについては拙著『左翼の害悪』に詳細を書きました。

2　ジェンダー平等世界一のアイスランドでは日本の50倍以上レイプ犯罪が発生している

私は、家事が極めて楽になった現在、専業主婦をニートにカウントする世界標準こそ正しいと考えます。しかし、ジェンダー平等が進んでいる国々が「良い国」で、遅れている日本が「悪い国」であるかのように報道するメディアは、決して次のデータを流しません。
ジェンダー平等が進んでいる国々の多くは、レイプ先進国なのです。

ジェンダー平等　1位　アイスランド54・0人（10万人中の割合／2015年度）
同　2位　ノルウェー21・9人（同前、2014年度）
同　3位　フィンランド19・1人（同前、2015年度）
同　125位　日本　1・0人（同前、2014年度）
（アイスランド 国家レベルでのレイプ、割合、2003-2022 - knoema.com）及び「ジェンダーギャップ・レポート2023」より

3　コオロギは黴菌《ばいきん》だらけ

なぜか最近、政府や一部メディアは国民にコオロギを食べさせようと必死です。幸い、コオロギを喜んで食べる人達は今のところ少数派ですが、マスコミに騙されやすい「意識高い系」の人々がヴィーガンに続いてコオロギを食べるのが「カッコいい」とならないこ

とを心から願っています。

なぜか。コオロギには加熱しても壊れにくいボツリヌス菌という名の芽胞菌がたくさんついているからです。ボツリヌス菌を含む可能性の高い食べ物ではハチミツが有名で、乳児にハチミツやハチミツ入りの食品を与える行為は、乳幼児を持つ女性にとって禁止事項です。ボツリヌス菌のリスクは乳児だけではありません。発生件数こそ多くありませんが、ボツリヌス菌が出す毒素は致死率が高く、食中毒菌としてのボツリヌス菌を軽視すべきではないのです。

昆虫を食べる行為を全否定するつもりはありませんが、それなら日本にも信州などで虫を食べる風習がゼロではないので、そちらを普及させるべきです。

ボツリヌス菌以外でもコオロギにはエビ、カニ以上にアレルギーリスクが高い、プリン体が多く痛風になりやすいといったリスクが指摘されています。

多様な食べ物を自国の食文化に取り入れることは、基本的に悪い事ではありません。江戸時代の日本には仏教などの影響で「肉を食べない」という建前があり、ウサギを「1羽」と数える、ウシは漢方薬と位置付けるなどしていました。明治の近代化は食文化にも及び、今では日本の「和牛」は、近隣諸国が詐称して欧米諸国に売りつけたくなるくらい有名になりました。

ですから、100年後には日本産コオロギがブランドになっている可能性もゼロではありませんが、食べた経験のない民族へのリスクが不明な今よりも、コオロギ食をメジャーにするのは、もう少し待った方が賢明です。

もちろん日本は経済的に自由の国ですから、コオロギ食に税金を投じる利権行為や税金で運営する公立学校でコオロギを給食に出すのは許せませんが、1民間企業がコオロギパンを売ろうが、コオロギ揚げ物を食堂で出そうが勝手だとは思います。

4　生活保護受給者は国民年金受給者よりリッチ

厚生労働省は、ワクチンや薬により国民の命を天下りに使い、年金という名の国民の財産を天下りに使い、生活保護受給者という名の貧乏人を利用して天下る集団です。
私は、天下りはすべからく違法にすべきと思いますが、政治家や役人が利権のために動くことを否定するつもりはありません。日常的に付き合いのある人に情がうつるのは当然だからです。その際に絶対に守るべきは
利権団体　＞　国民全体　＞　±０　であることです。

分かりやすいのは、今は亡き田中角栄が権力を行使した日本海側の公共事業でしょう。工事を請け負った企業や、新潟県を中心とした日本海側に住む人達が圧倒的に「美味しい」思いをしました。しかし、当時「裏日本」と呼ばれた日本海側の開発は多額の税金を使ったとしても、経済成長中だった日本全体の役に立ったことは否定できません。

これに対し、それまでヤクザのシノギだった仕事のあっせんに「派遣」という名をつけ、合法化した小泉政権は国民全体を貧しくしました。明らかに

利権団体　＞　≒0　＞　国民全体

ではないでしょうか。

これよりも酷いのが日本の生活保護です。合法である限り（違法受給者やグレー受給者は大勢いますが）生活保護受給者への批判は筋違いですが、この制度を作った政治家や役人は許すべきではありません。なぜなら、根拠が日本国憲法第25条だからです。言うまでもなく、この条文は生活保護者だけでなく日本国民全員に保障される権利です（ただし、第25条はプログラム規定に過ぎないとするのが判例ですから、これを根拠に国や自治体に直接具体的要求をすることはできません）。

憲法第25条
すべて国民は、健康で文化的な最低限度の生活を営む権利を有する。
2　国は、すべての生活部面について、社会福祉、社会保障及び公衆衛生の向上及び増進に努めなければならない。

これを根拠に生活保護者（都内在住）に月額13万円以上の生活費や住宅費＋無制限の医療費を保障しているのなら、日本国民全員がこれ以上の暮らしができる必要があります。でも現実は、多くの派遣労働者や年金受給者は、生活保護以下の生活をしています。

5　コロナパンデミック下で消費税を下げなかったのは日本だけ

世界中でコロナパンデミックが起きたことにより、日本の政府が世界で最低レベルだということが明らかになりました。先進国で消費税率を下げなかったのは日本だけです。どれほど国民が経済的に困っても、関係なく税金を上げ続けるのが日本政府です。

こういうと日本政府を信じる人々は「そもそも、日本は消費税率が低いのだから仕方がない」と主張するかもしれませんが、図表４はあくまで一般的な商品・サービスに対する

図表４　消費税（付加価値税）の標準税率

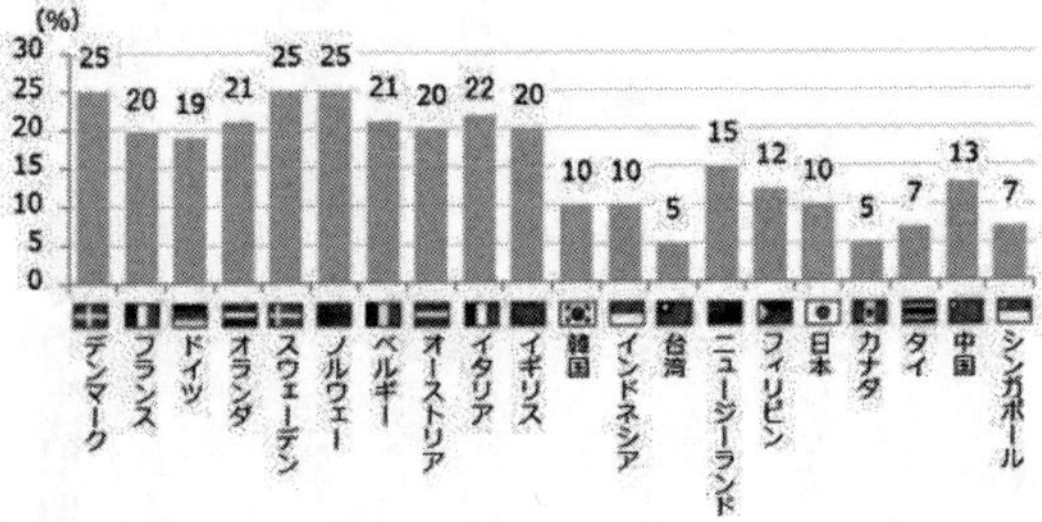

税の国際比較｜文京区の税理士なら【税理士法人ISYパートナーズ】（isy-kaikei.jp）より
2019年現在

税率であって、欧州諸国では生活必需品の税率をゼロにするといった工夫が取られています。

図表5は日本が消費税率を8％から10％に上げようとした際に反対する人が作ったデータです。日本はすでに福祉国家のデンマークよりも消費税収が多いのです。日本政府は、すでに国民から高額な税金を奪い取りながら、働く人々への生活保障は欧州より遥かに劣る最低の国なのです。あ、国会議員の給料と生活保護だけは世界トップレベルですから、上級国民と働きさえしない人には日本はすごく住みやすい国でした（笑）。

6　コロナ下で他国はネット授業をしたが、日本の学校は紙を配っただけだった

残念なのは、官公庁の末端である学校も同じです。

図表５　国・地方の税収に占める消費税収の割合

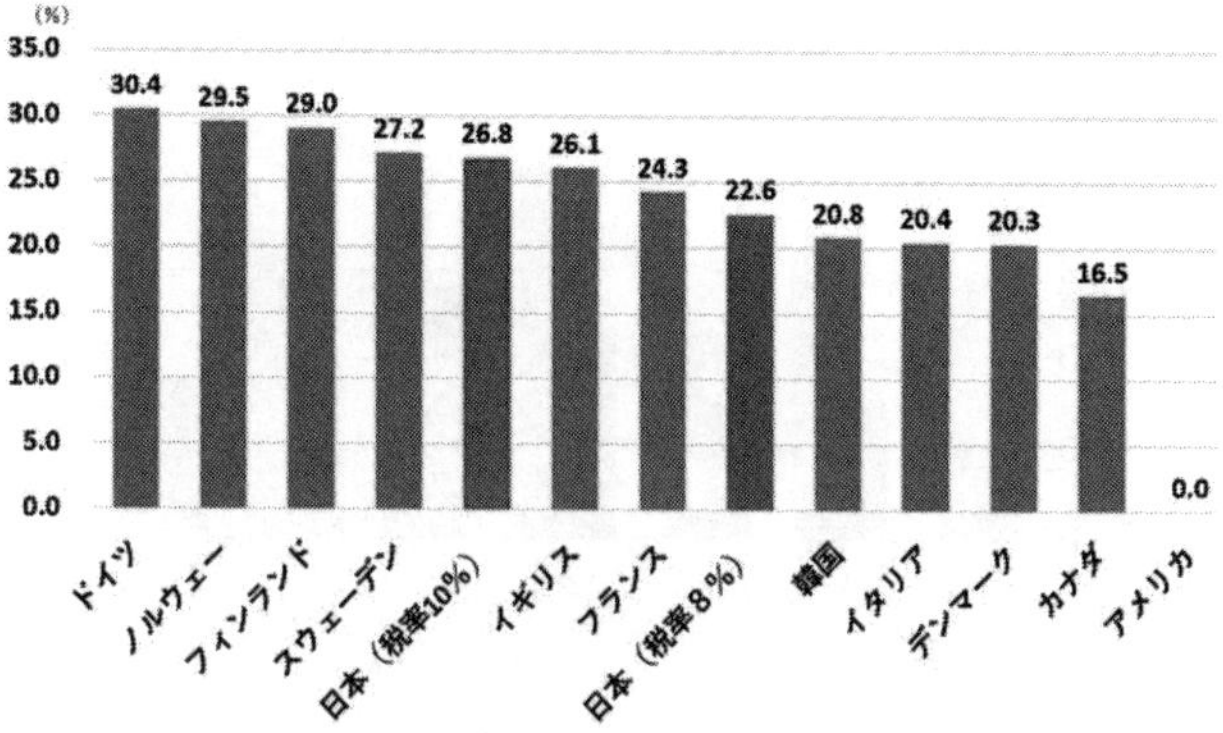

(OECD.Statより各国2015年の数字、日本は総務省の2015年決算データ)
| Akira Kusaka Studio（akira-kusaka-studio.com）より

他国では閉校と同時にインターネット授業が広まりましたが、日本の小中高では閉校時に紙を配るだけのところが多数派でした。それでも、コロナパンデミックが収まるなかパソコンを使用した授業が普及し始めたのは喜ぶべきなのかもしれませんが（図表６）。

７　共産主義国家下ではメガネをかけると殺された

左翼だらけのマスコミも政府や学校に負けずに残念です。

ソ連が崩壊して情報がオープンになり、東欧諸国で虐殺が行われていたことは、日本人を除く先進国の人々の常識になりましたが、共産主義国でも虐殺が行われていたという情

図表6　教育分野におけるITの利用率および認知率

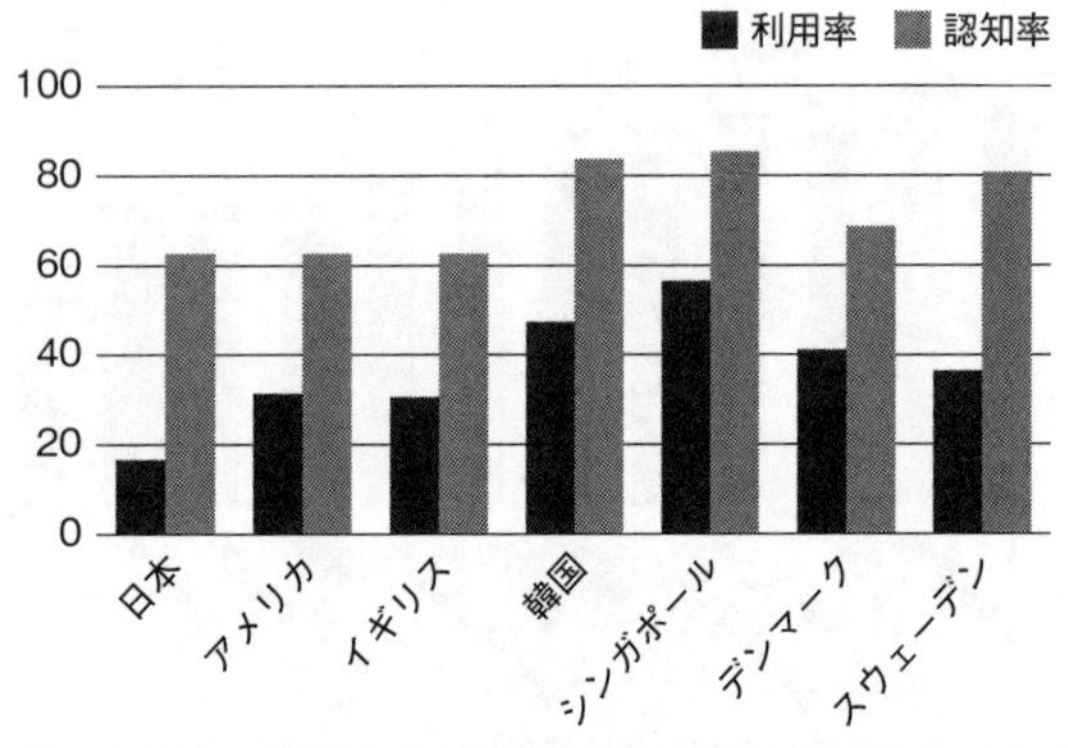

日本とアメリカの「IT教育」の取り組み方・充実度の違い｜学校向けオンライン英会話（中学・高校への学校導入支援）(weblio.jp) より

報は、ソ連崩壊以前から普通に漏れていました。それが、1970年代にカンボジア共産党政権により行われた国民集団虐殺です。

しかし、カンボジアで行われた共産主義政権による虐殺は、2つの理由から闇に葬られました。

一つは「白人」による差別意識です。カンボジアでの虐殺は世界中に知れ渡りましたが、当時の欧米人達（今でもそうですが）は自分達を「白人」と位置付け、他の「有色人種（白人以外の全て）」よりも優れた人種だと妄信していました。また、1970年代の大陸ヨーロッパには共産主義が正しいと信じる人も大勢いました。そこで、彼らはカンボジア共産政権が国民を虐殺するのはアジア人だからで、アジア人は無能なので共産主義国家を運営できないと考えたのです。

東欧で共産主義が上手くいっている（と１９７０年代の西欧人は勘違いしていました）のは、キリスト教を基礎にした文化と遺伝子双方で優れた「白人」だからであり、カンボジアで虐殺が起こるのは黄色人種だからだろうと妄想し、彼らは大声を上げませんでした。

これらに対し、日本の学者やメディアは、カンボジア共産党政権に名付けられた「クメール・ルージュ」という単語を使うことでカンボジア政権が共産党政権であること自体を隠しました。左翼が平気で国民を騙す体質は21世紀の今も生きており、それは、ウィキペディア（Wikipedia）にもしっかりと残っています（ですから、政治学や教育学など左翼が学会を牛耳る分野でウィキペディアだけを信じるのは止めましょう）。

日本のウィキペディアでは「クメール・ルージュ」を次のように紹介しています。

「クメール・ルージュとは、かつて存在したカンボジアの政治勢力、および武装組織の俗称」

これだけを読むと共産主義とは何一つ無関係に感じます。これに対し世界で普通に使われている英語バージョンでは

「The Khmer Rouge is the name that was popularly given to members of the

Communist Party of Kampuchea（CPK）and by extension to the regime through which the CPK ruled Cambodia between 1974 and 1979.」（和訳：クメール・ルージュは、カンボジア共産党（ＣＰＫ）のメンバーに、そして１９７４年から１９７９年の間にＣＰＫがカンボジアを統治した政権に広く付けられた名前です）

　としっかり大虐殺をしたのは共産党政権であることが記載されているのです。

　当初、彼らは他国と同じように共産主義思想に反対する人々だけを殺しました。しかし、誰がどの思想を信じているかを調べるのは困難です。そのため虐殺対象はどんどん広がり「インテリは全て殺そう」となっていきました。多くの国民はバカのフリをするしかなくなります。その結果、メガネをかけているだけで「きっと本を読むようなインテリに違いない」と疑われ、それだけで殺される事態になりました。

　これが史上最悪の共産党政権と呼ばれたカンボジア政権だったのです。この政権を「クメール・ルージュ」とだけ呼んで、共産党政権だと言わない。それが１９７０年代当時の、そして今も多数派のマスコミなのです。

8　世界中に「日本人＝バカ」がバレたハマス事件

諸外国から観光客が大勢来て、日本人の優しさや温かさを実感してくれるようになりました。これはバブル崩壊以降の自民党政権が成功した数少ない政策だと思います。しかし、コロナパンデミックが収まり世界の人々が日本に訪れるようになった時に、中東でテロリスト集団のハマスがイスラエル国民を大勢殺すという恐ろしい事件が起きました。この時の日本の政治家、報道、学者達のあまりに世界常識とズレた対応により「日本人はお人よしだが、基本的にバカだ」という事実が世界中に明らかになってしまいました。

「テロで人を殺したハマスが１００％悪く、防衛戦争のイスラエルが１００％正しい」

これが、アメリカだけでなく世界の、少なくともデモクラシー国家の常識です。しかし、日本にいると

「今回はハマスがやり過ぎたけれど、根本はアラブの国にイスラエルを造ったのが間違い」

「イスラエルのせいでパレスチナ難民が苦労をしている」

「どっちもどっちだが、殺した数の多いイスラエルの方が悪い」

等々、デタラメな情報がマスコミにも街にも飛び交っています。

どこがデタラメか。

まず、イスラエルが建国される前の、あの土地はイギリスが支配していたのであって、アラブの国ではありませんでしたし、建国前からユダヤ人はあのエリアに大勢住んでいました。もちろんアラブ人の方がユダヤ人よりも大勢いましたから、そのエリアにユダヤ人の国を造ることがいけないのならば、批判されるべきはユダヤ人でもイスラエル国でもなく、ユダヤ人とアラブ人を騙したイギリスとイギリスをフォローしてイスラエル建国を認めた国連です。でも、日本人には国連を批判する思考がありません。

次に、ガザ地区が事実上「難民が住むエリア」になったのはアラブ人の責任です。イスラエル建国の翌日にアラブ諸国がイスラエルに攻め込み戦争が始まりました。これによりイスラエルが支配するエリアのアラブ人もイスラム教徒が支配する国に住むユダヤ人も一時期「難民」になりました。この時、イスラエルはアラブ諸国などから逃れようとするユダヤ人を受け入れました。この事実は英語で「Jewish exodus from the Muslim world（イスラム世界からのユダヤ人の脱出）」と検索すればすぐに出ます。しかし、アラブ諸国は中東戦争中も敗戦後もパレスチナエリアのアラブ人を自国に受け入れませんでした。

これだけで、パレスチナ難民はアラブ諸国の責任と言えますが、終戦後、イスラエルのユダヤ人達はパレスチナに住むイスラム教徒を労働者として受け入れ、パレスチナ人はその後も難民にはなりませんでした。彼らを難民にしたのは、イスラエルへのテロを使命とするハマスと、２００６年のパレスチナ立法評議会選挙でハマスに過半数の議席を与えたパレスチナ人自身です。これによりガザ地区に住む人々はイスラエルで働くことが困難になったのです。ちなみに今でもイスラエルには、イスラム教徒は堂々と住んでいますし、国会議員まで選出しています。

もちろん、だからといって人を殺して良い訳ではありませんが、テロで人を殺すのと自衛戦争で人を殺すのは全く評価が異なるのが世界の常識です。しかし、日本では暴力革命を推奨するマルクス主義を信じる人に多くの学会を牛耳られ、彼らに憲法９条を根拠に自衛戦争さえ否定された（政府の見解は９条下でも自衛戦争はありです）ために、多くの日本人にはテロによる人殺しと、自衛戦争による人殺しが全く異なることが理解できないのです。

こうした日本人の中東へのデタラメな認識の背後には、旧ソ連がアメリカ及び親米国イスラエルに対抗しアラブ人を掻き立てる政策をとったことがありました。世界の人々は、今は亡きソ連の洗脳から目覚めたけれど、日本人だけが左翼洗脳から目覚めておらず、その結果が「双方に停戦を呼び掛ける」という「喧嘩両成敗」的な政治家、マスコミ、学者達のスタンスなのです。
もう一度繰り返しますが、今回のイスラエル国周辺での事件は
「テロで人を殺したハマスが100%悪く、防衛戦争のイスラエルが100%正しい」
これが世界の認識と捉えるべきです。

9 自民党は安倍政権誕生まで国民を騙し続けた

日本が腐っているのは左だけではありません。「憲法改正」を党是とする自由民主党は、左翼以上に国民を騙し続けました。その証拠が、第一次安倍政権が誕生するまで、憲法改正の手続法を作らなかった事実です。

GHQに押し付けられた憲法は「改正」が困難になっており、「各議院の総議員の3分の2以上の賛成で、国会が、これを発議し、国民に提案してその承認を経なければ」なりません（憲法96条）。憲法にはシンプルに手続きが記載されているだけなので、本気で憲法を改正したいのであれば、手続法を作る必要があります。

憲法改正そのものは、衆参両議院とも総議員の3分の2以上の賛成が必要なので困難ですが、憲法改正のための手続法は、両議院で多数派を取れば、つまり大抵の政権ならば立

法できるのです。しかし、1955年から2010年まで、どの自民党首相もこの法律を作らなかった。

本気で世の中を変えようとする第一次安倍政権が誕生するまでは、「憲法改正」など「お人よし」で愛国心を有する日本人から、自民党が票をかすめ取るだけのネタに過ぎなかったのです。

●日本人はバカを卒業できるか？

日本人は、政治家に騙され続けた（これからも騙され続ける？）バカでした。しかし、多くの日本人は「日本人は賢い」と誤解しています。

デモクラシー国家は、国民から選出された代表＝政治家が政策決定をする国ですから、国民の知性は政策に現れます。平成時代は「失われた30年」と呼ばれており、日本は、第二次世界大戦後、独裁国家ではなく内戦もないのにGDPが30年間成長しなかった唯一の国です。その意味で、「世界一愚かなデモクラシー国家」と断言できますし、他国の人々もそう思っています。

本書は「自分達の愚かさに気づき、嫌な奴らだけれど、成長した他国を見習おう」という趣旨で書きました。還暦を越えた私はおそらく「貧困国家の国民」のまま死ぬでしょう。だからこそ、せめて今の日本が異常であり、それに気づかぬ多くの日本人は賢いどころか歴史的阿呆だと様々な事例を挙げて皆様に納得していただければ幸いです。

●本音が言えた時代

本章の最後に、とは言え日本にもマスコミが真実を語れた時代があったことを示しておきます。

「日本という国は、そういう特権階級の人達が、楽しく、幸せに暮らせるように、あなたたち凡人が、安い給料で働き、高い税金を払うことで成り立っているんです。そういう特権階級の人たちが、あなたたちに何を望んでいるか知ってる？　今のままずっと愚かでいてくれれば良いの。世の中の仕組みや不公平なんかに気付かず、ＴＶや漫画でもぼうっと見て、何も考えず、会社に入ったら上司の言うことをおとなしく聞いて、戦争が始まったら真っ先に危険な所へ行って戦ってくれれば良いの」

（『女王の教室』２００５年 日本テレビ より）

第2章　「白人」を造ったヨーロッパ人

●第二次世界大戦中に「非白人」虐殺に励んだヨーロッパ諸国

20世紀のヨーロッパで行われた最も残虐な行為と言えば、多くの人々が「ユダヤ人虐殺」と答えると思います。ヨーロッパに限れば私も100%同意しますが、日本で振りまかれている「ユダヤ人虐殺」の捉え方は、完全にずれており、ここに戦後、洗脳された「日本人の愚かさ」が見え隠れします。

日本人の「ユダヤ人虐殺」の受け止め方は「二重」にずれています。

第一のズレは、ユダヤ人に無償労働をさせたあげく虐殺したのはヒトラー個人やナチスという一政党の悪行ではないのに、欧米人に洗脳された日本人はユダヤ人虐殺を「ナチスだけが行った行為」と信じ、学校教育などで次世代に洗脳を広げていく点です。

ユダヤ人虐殺は、ヨーロッパに住む「白人」達が力を合わせて行った非道行為です。これは、日本人でも少し勉強すれば比較的容易にたどり着ける真実です。ただ、この洗脳は欧米諸国が世界に振りまく共同詐欺行為なので、メディアが真実を語る日はなかなか来ないでしょう。

言うまでもなく、詐欺行為の主犯はドイツ人です。第一次世界大戦後、戦勝国に押し付けられ、世界一民主的（当時）と言われたワイマール憲法下で国民社会主義ドイツ労働者党（ナチス）を選んだのは実はドイツ人ですし、当時のドイツ人がヒトラーに心奪われた理由は多数ありますが、ユダヤ人批判もその大きな要因でした。

ただ主犯がドイツ人というだけで、それこそユダヤ人を逮捕し、無償労働させ、虐殺する行為はヨーロッパ全域で行われていました。そこに住む人々は逮捕からの無償労働までは気づいていましたし、多くの人が積極的に「あそこにユダヤ人が住んでいます」と政府に言いつけました。冷静に判断できる人ならば、虐殺か否かは別にして収容所の中で多くのユダヤ人が死亡していると判断できたはずです。ユダヤ人を逮捕し、奴隷化し、殺したのはドイツ人だけではないのです。

英米を除くヨーロッパ人みんなでユダヤ人を逮捕、無償労働、虐殺などをしたからこそ、全てをヒトラーとナチスのせいにして逃げる主犯者ドイツ人を非難しないのです。参考までにドイツ以外にどんな国にユダヤ人強制収容所があったかを示しておきます。最も有名なのは、現ポーランドにあったアウシュビッツ強制収容所ですが、そこの収容人数が多かっただけで、他にもゲットー（ユダヤ人収容所）は多数ありました。地名に続く名前は「強制収容所」に限らないので、ここでは「ゲットー」に統一し、その後ろに今の国名を記載しておきます。

・アメルスフォールト・ゲットー（オランダ）
・バルデゥフォス・ゲットー（ノルウェー）
・ボルツァーノ・ゲットー（イタリア）
・ブレーンドンク・ゲットー（ベルギー）
・ヤセノヴァツ・ゲットー（クロアチア）
・コヴノ・ゲットー（リトアニア）
・クローガ・ゲットー（エストニア）
・ル・ヴェルネ・ゲットー（フランス）
・ルヴフ・ヤノフスカ・ゲットー（ウクライナ）
・マールィ・トロステネツ・ゲットー（ベラルーシ）
・マウトハウゼン・ゲットー（オーストリア）
・リカ・カイザーヴァルト・ゲットー（ラトビア）
・テレージエンシュタット・ゲットー（チェコ共和国）

●ユダヤ人は「白人」ではなかった

第二のズレはもっと大きなズレです。ヨーロッパの人々がユダヤ人を虐殺できたのは、ユダヤ人が「白人」でなかったからです。日本はアメリカの属国（奴隷国家）なので、多くのメディアは右も左も世界をアメリカの視点でしか見ません。そのため、アメリカ由来の「人種分類」により「白人」「黒人」「黄色人種」が決まると信じる人だらけです。

彼らからすれば「何を変なことを言っている」と思うでしょうが、現代のアメリカ人が有する「白人」概念と第二次世界大戦時にヨーロッパ人が有していた「白人」概念は異なります。シンプルに言えば現代のアメリカ人達が主に「外見」と「民族差別」でヒトを３種に分類するのに対し、第二次世界大戦当時の西欧人は「外見」＋「宗教差別」で「白人」と「その他」に二分していたのです。

ヒトを他の動物のように分類し、それが定着したのは進化論が常識になった19世紀初頭でした。１８１７年に当時パリ大学学長で古生物学の創始者と言われるジョルジュ・キュヴィエが主著『動物界』の中でヒトをコーカソイド（白人）、モンゴロイド（黄色人）、ニグロイド（黒人）に分類しました。彼以前にもヒトを肌の色で分類する人はいたし、その後も４種類や５種類に分類する人達が出ましたが、キュヴィエの３分類説が欧米社会に広く受け入れられていきました。

キュヴィエは一応科学者だったので、文化や宗教ではなく外見から分類しました。もちろんヨーロッパ人ですから、「コーカソイドは、頭部が卵型をしているその美しさによって他と区別される」だけでなく、「もっとも文明的な諸民族、つまりもっとも広範囲に他民族を支配してきた民族は、みなここから誕生してきた」（『白人とは何か？』藤川隆男編2005年　刀木書房より）と、差別意識むき出しに語っていました。

この段階での分類は「外見」による分類ですから、古代ローマ帝国だった地域、すなわちヨーロッパだけでなく、中東に住む人も北アフリカに住む人も全てコーカソイドでした。しかし、19世紀といえば、欧米諸国が世界中の人々を殺しまくり、その土地を植民地にしていった時代です。彼らには、その残虐行為を正当化する理由が必要でした。そこで登場するのが宗教による差別化です。

最初は他人種より優れているコーカソイドの中での優劣（もちろんヨーロッパ人が上で、中東及び北アフリカ人が下です）でしたが、19世紀末になると宗主国である自分達と植民地で搾取されている人達を自分達と同じ「人種」と考えることはできなくなり、中東や北アフリカに住む人達を「モンゴロイド」や「ニグロイド」と同列化するようになります。

その時に明確に自分達と彼らを分けてくれたのが「宗教」でした。すなわち「キリスト教」を信じる自分達だけが「白人」で、「イスラム教」や「ユダヤ教」を信じる人達が「有色人種」になったのです。

幸か不幸か当時のイスラム教徒＝アラブ人達はヨーロッパ地域にはほとんど住んでいなかったし、石油利権はイギリスとフランスで分割していたので、産出国の人々は西欧人の嫉妬の対象ではありませんでした。これに対し、ユダヤ人は世界各国に住んでいたし、ユダヤ教はキリスト教のように莫大な富を得ることを罪とせず、実際に中世から金持ちが多かったので、キリスト教徒の嫉妬の対象でした。

「よく聞きなさい。富んでいる者が天国にはいるのは、むずかしいものである。また、あなたがたに言うが、富んでいる者が神の国にはいるよりは、らくだが針の穴を通る方が、もっとやさしい」（「マタイによる福音書19」に記される　イエスの言葉）

という教えが、ヨーロッパ人に

「ユダヤ人が俺たちより金持ちが多いのは彼らが優秀だからじゃない。罪の意識がないからだ」

「キリスト教徒じゃない彼らが金持ちなんて許せない」

「『白人』じゃないくせに俺達より金持ちなんて許せない」

「捕まえろ」「無償で働かせろ」「殺せ」

という感情を生み出したのです。

●イエスを偽メシアと位置付ける「ユダヤ教」

ここであえてヨーロッパ人を庇《かば》うならば、彼らがユダヤ教徒を憎む理由の一つに、ユダヤ教がイエスを偽メシアと位置付けている点が挙げられます。

元々「メシア」は王、あるいは理想的な統治をする為政者を指す言葉でしたが、国を失ったユダヤ人の中で「メシア」は次第に「神的な救済者」を指す意味になっていきます。ただし、ユダヤ教ではメシアに救われるのはユダヤ人だけです。

これに対し、2000年ほど前に今のイスラエルで生まれたイエスを「メシア」と考えるのがキリスト教です（キリストという単語自体がヘブライ語のメシアの翻訳です）。その上で、イエス・キリストによってユダヤ人以外も救われる、（キリスト教徒限定ですが）世界に平和がもたらされると当初（聖パウロの改宗のころ）は考えたのでした。その後、キリスト教は欧米人の世界征服を肯定する宗教に変化していきますが。

ユダヤ教、キリスト教の後にできたイスラム教では、ムハンマドこそ最後に登場した最も有能な預言者ですが、イエスも5人の「有能な預言者」に数えられています。ちなみに5人の「有能な預言者」とは「洪水から人類を救ったノア」「ユダヤ人やアラブ人の祖とされるアブラハム」「エジプト脱出時のリーダーだったモーゼ」「イエス」「ムハンマド」の5人です。

キリスト教徒にとって、宗教的視点から「アラブ人」は単なる軽蔑する対象、「ユダヤ人」は憎むべき存在だったのです。

●キリスト教が推進したユダヤ人「ゲットー」

今ごろになって「なぜ、ヒトラーやヒムラー（ユダヤ人虐殺の先頭に立ったナチス幹部）が教会から破門されなかったのだろう」と疑問を持つ（フリをする）欧米人がいますが、当時の（本音ベースでは今も？）敬虔《けいけん》なクリスチャンからすれば、「ヨーロッパ人にとってユダヤ人虐殺は少し行きすぎた善行」に過ぎないと思われています。ですから破門されるはずがないのです。

虐殺はともかく、ユダヤ人逮捕及び無償労働は、ヨーロッパでは「自然」なことでした。なぜならユダヤ人を「ゲットー」に強制移住させる行動は中世から存在したからです。古代にもゲットーと呼ばれたエリアはあったようですが、それは今も世界中に存する「中華街」のように、異国に住む同民族が自主的に集まる地域を指す言葉でした。

しかし、中世ヨーロッパのキリスト教徒達が十字軍という名の中東侵略戦争を繰り返すと、侵略に成功した地域で、現地の人々の富を奪い、自分達が住むと決めた地域から「アラブ人」や「ユダヤ人」を追い出し、彼らに住む地域を強要するといった異教徒迫害が日常化します。

そうなると、ヨーロッパ地域でもユダヤ人迫害は正当と考える人が多くなり、ローマ教皇パウルス4世（1476～1559）は、勅書でローマに住むユダヤ人全員にテヴェレ川の左岸に住むことを命じました。これが強制住居としてのゲットーの始まりです。

当時のローマ教皇は、ヨーロッパの君主たちの模範的存在でしたから、君主たちも教皇を見習い自国に次々とゲットーを造り始めます。その多くは石壁に囲まれ、夜になると外部との門が閉じられ、昼でもユダヤ人がゲットーの外に出る際にはユダヤ人であることを示す印を身につけることが強制されたのでした。

このヨーロッパにおけるユダヤ人の半奴隷状態を解放したのはナポレオン（1769〜1821）です。左翼に傾いた日本の学校教育だけで思考すると、当時のフランスは「市民革命」という「善」から、独裁者ナポレオンという「悪」が生まれたイメージを持ちますが、そんな単純ではないというのは、これ一つで分かるはずです。良識的な教員は、ナポレオンが各国を侵略したことで国民にナショナリズム意識が定着した点もしっかり教えますが、流石にナポレオン支配のお陰でユダヤ人のゲットーが（一時期）崩壊したと高校の世界史で教える教員を私は知りません（左翼に牛耳られた大学が入学試験に出さないので仕方ありませんが）。ただし、ナポレオン失脚後は、再びユダヤ人の生活を制限する国が復活したため大量のユダヤ人がアメリカに移住しはじめます。ヨーロッパと違って「白人」扱いを受けるアメリカのユダヤ人を造ったきっかけは、ナポレオンだったのです。

●イギリスでは今も非「白人」のユダヤ人

第二次世界大戦時に大陸ヨーロッパで行われたユダヤ人の奴隷化や虐殺と比較すればイギリス人のユダヤ人差別はマシですが、その分（?）、彼らは今でも堂々とユダヤ人を非「白人」扱いしています。イギリスは今でも国家統計局が「イングランド及びウェールズの白人」「スコットランドの白人」「アイリッシュの白人」「その他の白人」「その他の民族(other ethnic group)」に分類して統計をとっていますが、ユダヤ人やアラブ人は「その他の白人」ではなく「その他の民族(other ethnic group)」として扱われています。

シェークスピア(1564~1616)の『ヴェニスの商人』に強欲な高利貸しとしてユダヤ人シャイロックが登場するように、ユダヤ人は中世からイギリスにも住んでいましたし、外見でユダヤ人と他のイギリス人が分かることは、私達日本人には不可能です。それでもイギリス人がユダヤ人を「その他の民族」に分類するのは、今も彼らに対する宗教由来の民族差別が続いているからでしょう。もちろん肌の色を除けば外見からコーカソイドと思われるインド系、パキスタン系、バングラデシュ系、スリランカ系の人達も「白人」ではありません(こちらは日本での扱い方も同じです)。

興味深いのは、定住地を持たず、どんな血が混ざっているか不明で、事実上のホームレスも少なくないロマ(かつてジプシーと呼ばれていた人々)が「その他の白人」に分類されている点です。「ホームレスになっても白人は他人種より上」。これが底辺のイギリス人が最後まで信じたい信仰なのかもしれません。ユダヤ人虐殺をしなかったからと、イギリス人のモラルが大陸ヨーロッパ民族よりも高いわけではないのです。

●殺人ゲームを合法化したイギリス

イギリス人のモラルの低さは歴史を見れば明らかです。清国に麻薬を売って儲け、文句を言われたら戦争を仕掛ける。対「ユダヤ」「アラビア」「フランス等」への三枚舌で、第二次世界大戦後の中東戦争のネタを振りまくなど、国家として最低の行為をしてきたことは、日本の学校教育でも教えられています。

それは良い事ですが、当初、イギリス人が個人で行った民族虐殺「アボリジニ狩り」を、後に国家が合法化した事実も学校で教えるべきではないでしょうか。

19世紀、イギリスでは犯罪者が多すぎて本国の刑務所が満員になり、対策の一つとして犯罪者に僻地オーストラリア大陸での開拓を刑罰として命じました。この段階で日本人には理解できませんが、キリスト教徒である「白人」達の間では「労働は苦痛」が常識でした。それゆえ、開拓労働が刑罰の一つとされたのでした。「労働は苦痛」という常識は現代にも引き継がれていて、今でもアメリカ、イギリス、フランス、ドイツなどでは無償労働が刑罰として存在します。

「プロテスタンティズムが労働を苦痛から喜びに変えた」というのがマックス・ウェバーの主張ですが、今でも「白人」の中では労働は苦痛が実態です。「白人」の中でしか思考できなかったマックス・ウェバーにとって、比較対象はプロテスタントとカトリックでしたから「プロテスタンティズムが労働嫌いのキリスト教徒をマシにした」なら間違いではありません。それは北欧諸国やドイツ人とイタリア人、スペイン人、ポルトガル人などを比較すれば実感できるはずです。

刑罰が自国での労働だと多くの監視者が必要ですが、大陸を巨大な刑務所、すなわち流刑地にして犯罪者を送ってしまえば監視者は少なくてすみます。島を流刑地にする行為は、多くの国で行われましたが、大陸ごと流刑地にしたのはイギリスだけでした。流刑地とされたのはオーストラリア大陸だけではありません。独立以前の北アメリカ大陸にも流刑地という側面がありました。それゆえ１７７６年のアメリカ独立宣言は、イギリスにとって巨大な流刑地の喪失を意味しており、それ以降、オーストラリアへの犯罪者送付は益々増えていきます。

こうしてオーストラリアに送られたイギリスの犯罪者達には開拓という労働義務があったので、アメリカ大陸同様、現地人と対立し、銃で彼らの命を奪い続けます。アメリカと異なるのは、現地人殺害が途中から「遊び」になった点でした。彼らはスポーツハンティングとしてアボリジニ狩りを始めたのです。

「今日はアボリジニ狩りにいって17匹をやった」

と記された日記がオーストラリア・サウスウエールズ州の図書館に残っています。もちろん全てのイギリス人がアボリジニ狩りを楽しんだわけではなく次のような言葉を残す総督（オーストラリア支配の責任者）もいたようです。

「すこぶる野蛮にして非道な行為、すなわち英人が原住民の子供を拉致することによって、これらあわれむべき未開の黒人の怒りが爆発したのは当然である。誰でも胸に手を置いて、原住民の両親から子供を拉致した英人と、この無情な迫害を憤り、その盗まれた子供を取り返さんと勇敢に英人に向かった黒人と、いずれが野蛮人であるかを、自問して見よ」

（『GHQ焚書図書開封1：米占領軍に消された戦前の日本』西尾幹二著（徳間書店））

●「人種差別大国」と評されるフランス

ユダヤ人虐殺の主役だったドイツ人やそれをナチスという1政党だけの責任にするドイツ政府。オーストラリア大陸で現地人狩りを遊びにしたイギリス人とそれを合法にしたイギリス政府。彼らに比較すると、フランス人やフランス政府はマシに見えるかもしれませんが、今の欧米メディアでは、フランスは「人種差別大国」として有名です。

ヨーロッパ諸国は、全ての国が人種差別大国です。「有色人種」でそれに気づかないのは、日本人女性くらいでしょう。日本人にはイスラム教徒のように婚姻外性行為を禁じる性道徳がないため、日本人女性は口説きやすく、肉体関係成立後も金をたかろうとしないので、ヨーロッパ諸国の男性には大人気でした。それゆえ、1週間や2週間のヨーロッパ旅行ならば、彼女達は「人種差別」のない楽しい思いを経験できました。

今でも日本には、無条件の「イギリス好き」「フランス好き」「イタリア好き」女性が大勢います。残念なのは失われた30年のせいで、若者には海外旅行のハードルが高くなり、ヨーロッパ好き女性の多くが中高年という点です。今や海外旅行をする「黄色人種」の多数派は中国人ですし、ヨーロッパ人に日本人女性、中国人女性、韓国人女性を見分けるのは困難なので、昭和や平成初期ほどには日本人女性もモテなくなったそうです。

政治・経済・人口など全ての面で大国となった中国への反発意識とともに、現在、多くの欧米諸国でアジア人差別が起こっています。そんな人種差別が当たり前の国々の中で、なぜフランスだけが「人種差別大国」という評価を受けるのでしょう。

それは、他国の「人種差別」が、教養水準やモラルの低い大衆の行為に過ぎないのに対し、フランスは2010年にムスリム（イスラム教徒）が公共の場でブルカ（女性用ヴェール）を着用するのを全面的に禁止する法律を制定したからです。

他人が「気持ち悪い」「気分が悪い」と感じる姿で公共の場にいるのは禁じられるべきです。

これは一般論として間違いではありません。日本でも素っ裸で公共の場に出る行為は禁じられています。しかし、何を「気持ち悪い」「気分が悪い」と感じ、何を感じないかは時代と地域により異なりますし、それを法で禁じるか否かも時代と地域によって異なります。日本の一部地域では今でも混浴できる温泉は存在しますし、体にタトゥーのある人の入浴を断る温泉も少なくありません。

「異性の裸はOKだが、体に絵のある人と一緒に入浴するのはNO」という感性は他国民からすると異様に感じるでしょう。でも、それが今のところ日本の文化なのです。ただ「異文化の受入れ」は世界の大きな潮流なので、「タトゥーのある人への入浴拒否をしてはならない」なんて法を宗主国アメリカの命令で作る日がくるかもしれません。

●世界中で叩かれる「ブルカ禁止法」

フランスの「ブルカ禁止法」は、「異文化の受入れ」という世界の潮流に真っ向から反する行為でした。イスラム教徒にすればフランスが「人種差別大国」なのは当然です。当時のフランス政権（サルコジ大統領）は、なぜこんな法律を制定したのか。フランス国民に歓迎されるからです。一部のメディアは「信教・表現の自由の侵害だ」とサルコジの提案を批判しましたが、下院、上院ともに圧倒的多数で可決されました。

フランス国民は、日本人と異なり自分の意見を反映させない政治家を次の選挙で落とすので、政治家達は国民の意見に敏感です。フランスにおける「ブルカ禁止法」の成立は、デモクラシー国家の当然の姿でした。ベルギー、オランダ、ブルガリア、スイス、イタリア、オーストリアなどがフランスのこの動きに追随します。

これらヨーロッパ諸国では、イスラム教徒が公共の場で「信仰上正しい恰好」をすることが禁じられているのです。当然、これを人権侵害だと訴える人がいましたが、欧州人権裁判所の判事達は全会一致で「これは人権侵害にあたらない」という判決を出しています。

ここまで見てきたようにヨーロッパでは、キリスト教徒以外は「白人」ではありません。イスラム教徒が公共の場で「信仰上正しい恰好」ができないのは彼らが「白人」ではないからであり、「人種差別」＆「民族差別」そのものです。それを各国が法律にし、ＥＵ全体でそれは「人権侵害」にも「民族差別」にも該当しないと認めた。これこそがヨーロッパ人やヨーロッパ諸国の本当の姿です。

女性の恰好をした男性を見て不愉快に感じるか、天から授かった体に墨を入れた人を見て不愉快に感じるか、異性が浴槽に裸でいるのを不愉快に感じるか、異教徒が公の場で異教徒丸出しの恰好をしているのを見て不愉快に感じるかなどに「正解」はありません。

それを自分達の感性だけが「正解」と考える思考こそがレイシズムです。今も昔も、ヨーロッパには延々とレイシズムが吹き荒れており、今回たまたまフランスが先頭に立っただけです。

アメリカのユダヤ人・デヴィッド・ロスコフ（カーネギー国際平和財団客員研究員）は、フランスの「ブルカ禁止法」を「腐り始めた人権大国フランス」と評価しました。２０１０年の「ニューズウィーク」に彼は次のような記事を書いています。

「少年だった私の父は、ウィーンでユダヤ人を示す黄色いダビデの星を服につけさせられた。少数民族に目印をつけたり、ブルカを禁じて自己表現の権利を否定することで社会の『純血』を守ろうとするのは、いずれも等しく唾棄すべき行為だ。」

●今もアフリカから搾取する宗主国フランス

フランスの人種差別は経済にも及びます。

EU諸国がユーロを造る以前、各国はそれぞれの通貨を持っていました。フランスの通貨はフランでしたが、ユーロ導入後の今も「フラン」は生きていて、かつてフランスに支配されていたアフリカ諸国の多くでは、今も「CFAフラン」が使われています。

支配者は、被支配者が団結するのを避けるために彼らを分断します。これは国内でも国家間でも民族間でもオーソドックスな手法であり、フランスはそれを通貨にも使っています。レートも名前も同じ「CFAフラン」を発行する中央銀行を2つに分けました。2つの通貨は相互使用できません。

現在、西アフリカ諸国中央銀行が発行する「CFAフラン」を使用する国は、「セネガル」「ギニアビサウ」「マリ共和国」「コートジボワール」「トーゴ」「ベナン」「ブルキナファソ」「ニジェール」の8ヵ国で、中部アフリカ諸国銀行が発行する「CFAフラン」を使用する国は、「チャド」「中央アフリカ共和国」「カメルーン」「赤道ギニア」「ガボン」「コンゴ共和国」の6ヵ国です。

2つの「CFAフラン」は、元々はフランスの「フラン」と固定レートでしたが、今はフランス自体がユーロを使っているので、ユーロとの固定レート（1ユーロ＝655・37CFAフラン＝2023年12月12日現在）になりました。

CFAフランを使用している国は、固定レートのため独自の経済政策を立てにくいだけでなく、外貨準備高の50％をフランスの国庫にて保管しなければならないという規定があるため、独立後も経済的にフランスに支配され続けたのでした。

●それでもイギリスよりマシなフランス

フランスはイスラム教徒への宗教差別を法律にしました。フランスは今も旧植民地を搾取の対象にしています。それでも私はフランスの人種差別意識はイギリスよりはマシだと考えます。

彼らの違いは、植民地政策に出ており、イギリスが植民地を本国とは全く違う法律で統治する差別政策をとったのに対し、フランスは同化政策をとりました。本国と同じような法律で統治して、植民地の人々にフランス語を教えるのはもちろん、フランスの文化を積極的に普及したのでした。また、フランスはさらに一定の条件を満たした者には本国人と同等の権利を与えました。

両者の政策の違いは、本質的に非「白人」を自分達と「同じ人間」とみなすか、「白人」と非「白人」は同じヒトでも違う種と考えるかにあります。イギリス人は、自分達の制度は優秀な自分達だからこそ可能だという妄想を抱いているのです。

この発想は、敗戦時のGHQ政策への態度でも表れました。ポツダム宣言受諾により皇室制度を潰すか否かはGHQに委ねられましたが、事実上の決定権はアメリカが持っていました。アメリカ（第一次的判断はマッカーサー）は、皇室を残した方が日本支配は容易と判断したのでしょう。しかし、明治憲法のままの政治制度だと第一次世界大戦後のドイツのように「強い日本」が復活してしまう。そこで彼らは、憲法を改正してイギリスを真似た政治制度を押し付けたのでした。天皇を元首として残す（GHQ案は天皇＝元首でした。それを天皇＝象徴に変えたのは敗戦で復活した日本の左翼と支配層です）が、一切の政治的意思決定から外す。そうすれば、アメリカの属国（奴隷国）にしても、日本の大衆は反発しないだろう、という見事な読みでした。

しかし、憲法に元首天皇を残すとアメリカのような大統領制を採用できない。そこでアメリカは、母国イギリスの政治システムを日本に押し付けますが、それに大反対したのがイギリスでした。彼らは、「(アングロ・サクソン型民主主義は) キリスト教の教義に由来する個人の自由の伝統から長い時間をかけて発展してきた。～同じ条件が整わなければ日本で同じ発展が起きるとは思えない」（１９４６年3月26日、英外務省文書）という文書を正式に出して反対します。支配する土地（敗戦した日本）の差別政策は、ここにも表れていたのでした。

●「多文化主義」と呼び名を変えた「差別主義」

第二次世界大戦後に多くの植民地を無くしたイギリスですが、今でも過去の成果で多くの民族が移住してきます。彼らはイギリスに来たからと、元植民地の人々にイギリス人らしく振舞うことを要求しません。彼らは自分達のスタンスを「多文化主義」と呼び、あたかも自分達の態度が立派と主張します。元宗主国に移住する人達からすれば「インド人はインド人のままで良いよ」「エジプト人はエジプト人のままで良いよ」と言われた方が居心地は良いかもしれません。しかし、イギリス人を始めとする多くの欧米人が善人ぶって「多文化主義」を主張する背後には「人種差別」があることを忘れてはいけません。

これに対し植民地に同化政策を推進したフランスですから、フランス本国に移住してくる人には「同化」を要求します。「ブルカ禁止法」は同化政策の一つであり「フランスで暮らすんだからフランス人らしくなれ」という思いがあると分かると、フランスは「人種差別大国」であるけれども、その背後にある思想はイギリス人ほどの「人種差別者」ではないと理解できるはずです。

●諸悪の根源は「白人」意識

19世紀オーストラリアで行われたイギリス人によるアボリジニ狩りも、20世紀に行われたヨーロッパ諸国でのユダヤ人狩りも、21世紀になっても信仰の自由を傷つける「ブルカ禁止法」も、そして第二次世界大戦で日本にだけ落とされた原子爆弾も、その背景には「ヒトの中で白人だけが特別に優秀」という妄想があります。

諸悪の根源は「白人」意識なのです。

最近はメディアで「白人」という言葉を聞く機会は減りましたが、今でもこの概念は生きています。DNA分析によって、どの民族がどのくらい近いか、遠いかを判断できる今となっては、「ヒトを3つ（や4つ、5つなど）に分類する」この概念は非科学的ですが、欧米諸国の人達は、それだけで優越感を持てるので、今でも「白人」概念を信じています。

ある時代に「科学的」だった思想は、次の時代には典型的な「非科学的」思想へと転落します。人種分類と並んで唯物史観もその典型でしょう。カール・マルクスが唯物史観を唱えた19世紀、彼の姿勢は「科学的」でした。しかし、20世紀になって物とエネルギーは等価である（「E＝ｍｃ２」）と分かりましたし、唯物史観に基づく共産主義政策は全てが失敗しました。今では、唯物史観と共産主義を信じる人は、最も「非科学的」な人と言えるでしょう。

「白人」概念もこれと同じです。19世紀に進化論に基づきヒトを亜種に分類する態度は「科学的」だったかもしれません。しかし、ＤＮＡ検査が進歩した今、ヒトを３種や４種に分ける態度や、それを前提とする欧米諸国が行う各種調査は全て「非科学的」です。

普段から「人権」「人権」と騒ぐ人はどの国にもいますが、本当にそれが大切だと思うのであれば、数億人の命や人権を踏みにじり、非人道的な行為を可能にし、「非科学的」な「白人」概念。これこそ世界の人々が一丸となって潰すべき思想ではないでしょうか。

改めて「白人」概念の非科学性を指摘すると次のようになります。

1　「白人」概念はヒトを外見で分類する

「外見」でヒトを分類するだけでも非科学的です。これは他種の例ですが、従来ワシ・タカの仲間とされていたハヤブサは今では独立した属です。DNA調査によりハヤブサはワシ・タカよりもインコに近いことが分かったからです。各民族間はもちろん民族内にも住む地域によりDNAに個性はありますが、それは「白人」達が分類するような単純な違いではありません。

2 「外見」に加えて宗教で分類する

DNA検査が発展したのは21世紀に入ってからですから、「外見」での分類は20世紀までは一応「科学的」でした。しかし、本章で明らかにしたようにヨーロッパの「白人」概念には「宗教」が関与しています。宗教は文化そのものですから、これをヒトの種の分類に持ち込むのは、極めて「非科学的」な態度です。

3 他民族の血が混じるヒトは「白人」ではない

これは次章で明らかにしますが、「優秀な奴隷黒人の製造」に励んだアメリカでは、一滴でも「黒人」の血が入っていると、その人は「黒人」になるという極めて「非科学的」な差別意識が今も生きています。ここからもヒトを「白人」「黒人」「黄色人種」に分類する行為が「科学」ではなく、単なる「差別」だと分かるはずです。

●ヨーロッパ諸国を見習おう

ここまで見てきたようにヨーロッパ人は「嫌な奴ら」です。しかし、日本国の発展を考えるならば、彼らにも見習うべきところはあります。最後にそれを挙げてみたいと思います。

１　自分達の利権や悪意を綺麗な建前に変換する

あたかも異民族を受け入れてそうな「多文化主義」はその典型で、本音は「あいつらと一緒にするな」という差別意識です。地球温暖化もその一つでしょう。原因がＣＯ$_2$か否かには有力な反対論者もいますが、自動車産業でヨーロッパ諸国が日本にはかなわないと分かった時から、彼らは必死になりました。未成年の障害者少女を先頭に立たせた彼らには、モラルの欠片《かけら》もありませんが、その態度は見習うべきです。

「核兵器で大勢が亡くなった国だからこそ、核の平和利用を推進したい」と言って、核兵器を持ち

「これで半島付近も平和になりました」と言いたいものです。

属国からの脱却に必要なモノは、憲法の改正ではなく核兵器の保有だからです。

2　殺人の歴史を美しく彩る

これは「国」の基本です。なぜなら、国家間の戦争にしろ、内戦にしろ、革命にしろ、「殺人」なくして国が誕生することは、日本を除いてほとんどないからです。それを歌詞にまでする国も少なくありません。フランス国歌の歌詞（一部）は次のとおりです。

「いざ祖国の子らよ！　栄光の日は来たれり　暴君の血染めの旗が翻る　戦場に響き渡る獰猛な兵等の怒号　我等が妻子らの命を奪わんと迫り来たれり」

「武器を取るのだ、我が市民よ！　隊列を整えよ！　進め！　進め！　敵の不浄なる血で耕地を染めあげよ！」

「奴隷と反逆者の集団、謀議を図る王等　我等がために用意されし鉄の鎖　同士たるフランス人よ！

何たる侮辱か！　何をかなさんや！　敵は我等を古き隷属に貶めんと企めり！」

「何と、我が国を法で縛ろうというのか！　何と、金で雇われた傭兵共の集団で　我等の誇り高き戦士を打ち倒そうというのか！　我等を屈服せしめるくびきと鎖　我々の運命を支配せんとす下劣な暴君共よ！」

殺人を美化するヨーロッパ人を見習い、国際連合などあらゆる場面で「第二次世界大戦における日本の活躍のお陰で、アジアやアフリカが独立するのが当然という国際世論ができました」

と堂々と主張しましょう。

3　教育投資をする

日本が直ちに大陸ヨーロッパ諸国を真似るべきは、大学の学費を始めとした教育政策です。岸田政権は、的外れな少子化対策をしていますが、ヒトを1つの種、絶滅危機にある動物と同じように考えれば、対策は「①カップルになりやすくする」＆「②カップルが多数の子どもを造りやすくする」しかありません。

昭和時代のように親、親族、地域から「結婚しろ」という圧力はなくなり、モテない男女がカップルになるのは困難になりました。また、子育てには金がかかるのが常識となり、子どもを多数造るカップルは減りました。だったら、政策はフランスのように「婚姻という壁を感じずにカップルができることを推奨」し、「カップルが避妊せずに性行為をする」気になる社会を造るしかありません。前者は、頭の固い中高年がいる間は世論の支持を得にくいので、真っ先にすべきは後者です。子どもを何人造っても貧しくならない。そのためには大陸ヨーロッパ諸国のように国立大学の学費を無料または低額にするのが一番です。

ただし、ヨーロッパ諸国の多くは、しっかりと差別をしています。フィンランド、ポーランド、チェコ共和国のように母国語の授業限定で無料（や低額）にする国や、オーストリアやベルギーのように国民とEUからの留学生だけを無料（や低額）にし、他国の留学生からは金を搾り取る国は少なくありません。

仮想敵国からの留学生を厚遇する売国奴自民党政権の日本とは大違いです。ヨーロッパを見習う政権が誕生することを心から願っています。

本章でヨーロッパ諸国（英仏独）の酷さをご理解いただけたでしょうか。もちろん、どんな人にも良い点や悪い点があるように、どんな国や民族にも良い部分があるし、悪い部分があります。しかし、日本メディアの主流派は明治初期から150年間進歩していないのか、それともGHQ洗脳から脱していないのか、ヨーロッパ諸国については良い部分しか報道しません。ヨーロッパに憧れるのは勝手ですが、彼らの差別行動や差別意識を分かった上でヨーロッパ諸国を評価してほしいと思います。

「白人」の概念こそ、19世紀以降の人類を不幸にした諸悪の根源です。しかし、差別意識を生み出したヨーロッパ人がこの妄想を捨てるはずがありません。「『白人』なんて妄想だ」という真実を大声で世界に発信できる国は、「白人」優位でありながら非「白人」の大統領を出したアメリカだけです。

次章では期待を込めて、アメリカが如何に酷い国かを見ていきましょう。

第3章　アメリカの「黒人」は「白人」です

●「黒人差別」に騙される日本人

アメリカで人種差別と言えば、真っ先に思い出すのが「黒人」差別です。奴隷制度の歴史から「黒人」差別を思い出すのは当然ですが、アメリカで人種差別されているのは「黒人」だけではありません。「白人」に該当しない人は全て差別されているし、「白人」の中でも序列意識から差別が存在します。

1961年にジョン・F・ケネディが大統領になった時、何よりも大きな話題は民主党の勝利でも、43歳という若さ（選挙で選ばれた大統領としては最年少でした）でもなく、彼がアイルランド系のカソリックだった点でした。それまでのアメリカでは、ギャングのボスがイタリア系だろうが、経済を裏で操るのがユダヤ人だろうが、表の支配者＝大統領はＷＡＳＰと決まっていました。ＷＡＳＰとは、White Anglo-Saxon Protestant（アングロ・サクソン系プロテスタントの「白人」）を指します。

アングロ・サクソン人とは、ドイツ北西部のサクソン地方からイングランドに移住した人々に対する概念でイングランド、スコットランド、ウェールズの人達を指します。北アイルランドは今もイギリスの一部ですが、アイルランド人はアイルランド島に上陸した「アングロ・サクソン人に支配されている原住民」に過ぎないのです。

アイルランド人は第二次世界大戦前に独立戦争を行い形の上で別の国として認められましたが、実態は大英帝国内の自治領に過ぎず、第1章で紹介したインド帝国に類似する存在でした（イギリス軍がアイルランド島から撤退した分、インド帝国よりはマシですが）。それを良しとする人と不服とする人の間でアイルランド内戦が起き、アイルランドは今のように南の独立国とイギリスの一部（北アイルランド）に分裂してしまい、北アイルランド人は今でもイギリス国内で公私にわたり差別されています。

その被差別民族から大統領が誕生した。しかも、プロテスタントから見れば同じキリスト教徒でもワンランク下のカソリック信者から大統領が生まれたのですから、大騒ぎでした。今のアメリカに例えれば、「バラク・オバマがイスラム教徒だった」並みの驚きと言えば分かるのではないでしょうか。

差別されていたのは「黒人」だけじゃない。ランクは違うけれどもＷＡＳＰ以外の人は全員が差別されていたのがアメリカなのです。

●堂々と「日本人差別」をしていたアメリカ

アメリカが人種差別に肯定的だった実態は、国際連盟設立時の態度によく表れています

（これは世界史や日本史でも習うところです）。

第一次世界大戦が終わった直後、アメリカは「国際連盟」の設立を提案しました。建前は「二度とこんな悲惨な世界大戦はしたくないので、侵略戦争を始めた国をみんなで（経済的に）叩くグループを造ろう」というのが提案の趣旨でした。日本もこれに賛成し、綺麗事が並ぶ連盟規約前文に「各国民の平等及其の所属各人に対する公正待遇の主義を是認し」との文言（いわゆる人種差別反対文言）を盛り込む修正案を提案しました。

これに大反対したのが、国際連盟を提案したアメリカとイギリスでした。アメリカの奴隷制度は南北戦争により1865年に無くなっていましたし、イギリスも「アイルランド人とアングロ・サクソン人は平等」が建前だったので、日本はまさか英米から堂々と反対されるとは思っていなかったのでしょう。ただ、当時の日本の予想は大きくは外れていませんでした。国際連盟を造るための委員会に参加した13ヵ国のうち、日本と中華民国以外は「白人」国家でしたが、フランス、イタリア、ギリシア、セルブ・クロアート・スロヴェーン王国、チェコスロバキア、ポルトガルなど大陸ヨーロッパの多くの国々も日本の提案に賛成し、反対したのはアメリカ、イギリス、ブラジル、ポーランド、ルーマニアの5ヵ国だけでした。

一瞬、日本の提案が受け入れられたと日本代表は思ったのですが、議長をしていたアメリカ大統領ウィルソンは「全会一致でないため提案は不成立である」と宣言します。日本代表は「会議の問題においては多数決で決定されるべき」と反発しましたが、ウィルソンは「本件のような重大な問題についてはこれまでも全会一致、少なくとも反対者ゼロの状態で採決されてきた」と回答し、俗にいう「人権差別撤廃提案」は廃案となったのでした。

二度と世界大戦を起こさないようにと提案しておきながら、「国民の平等」も「国内の公正な待遇」も堂々と反対したアメリカ。なぜ、こんな恥知らずな行動をアメリカは取ったのか。それは、当時のアメリカにおいて人種差別の主な対象が「黒人」から「日本人」に変わっていたからです。20世紀初頭からアメリカにおける日本人移民排斥運動は激しく、サンフランシスコでは日本人の子どもは公立学校に入れないという市条例が可決（1906年）され、1913年にはカリフォルニア州で日系1世が土地を買えない法律が成立しました。現在の「人種差別」レベルではない差別が当時のアメリカでは堂々と行われていたのです。

アメリカの日本人差別は、国際連盟成立後も一貫して続き、1924年には「移民法」により日本からの移民は事実上禁止されます。また、第二次世界大戦中には、ドイツ系アメリカ人、イタリア系アメリカ人は母国と戦う姿勢を褒められたのに対し、日系アメリカ人は財産を差し押さえられた上に強制収容所に収容されたのでした（1988年レーガン政権が謝罪と賠償を実施した点は評価できます）。

●原爆映像に拍手したバラク・オバマ

アメリカ人の日本人差別は今も続いています。

アメリカが、国際ルールを破って原爆により非戦闘員、数十万人を殺せたのは、アメリカ大統領や軍部が「白人」ではない日本人を自分達よりも劣った生き物だと考えていたからでしたし、本質は今も同じです。その証拠が2014年に行われたノルマンディー上陸作戦70周年記念式典でした。

記念式典は、踊りと映像が組み合わされたモノでした。英米を中心にした連合軍が、ドイツが支配するフランスを取り戻すノルマンディー上陸作戦の成功を祈念した式典ですから、映像の大部分は連合軍vsドイツ軍の戦いです。しかし、映像のラストは米軍が日本に落とした原爆でした。

英語ではありますが今でもYouTubeの（D-Day International ceremony: Obama, Putin,

Elizabeth II, Hollande in Normandy（recorded live feed）で、この記念式典を見ることができます（原爆投下は2時間56分59秒に及ぶ映像の2時間34分40数秒からです）。

会場の人達（大多数は現地のフランス人？）はそれを見て拍手し、オバマ大統領もこれに合わせて拍手をしました。「イベントなので仕方がない」はずがありません。その証拠に同席していたロシアのプーチン大統領はそれを見て拍手せずに十字を切っています（こちらはTBSがニュースで流したらしく、今でも日本のYouTubeなどに残っています）。

イベント上は、原爆が落とされる時には悲しそうな音楽に切り替え、踊りを止めて、「自分達は原爆を喜んでいるわけではない」と言い訳できるようにしていましたが、ノルマンディー上陸作戦70周年記念式典なのですから、そもそも原爆を映像化する必要がありません。にもかかわらず、この映像を映すのはノルマンディー上陸作戦だけでなく「自分達『白人』が獣に近い有色人種に勝った戦争だった」とアピールしたかったのでしょう。でなければ、原爆後の日本人の死体を米軍がキャタピラーで土地に埋める行為など各国元首の前で見せられるはずがありません。

イベントに出席した元首らは「アメリカ大統領」「フランス大統領」「イギリス女王」「ドイツ首相」「ベルギー国王」「ウクライナ大統領」「オーストラリア首相」「カナダ首相」「オ

ランダ国王」「イタリア首相」「ルクセンブルグ大公」「デンマーク女王」「ノルウェー国王」「ポーランド大統領」「チェコ大統領」「スロバキア大統領」と、全員が「白人」の国の元首などしかいなかったのもその証拠でしょう。

原爆を映像のラストに持ってくるならば、ヨーロッパという狭いエリアで起きたことではないのですから、原爆被害者の日本の天皇陛下や総理を呼ばず、戦勝国の一員だった（少なくともフランスよりはしっかりと戦った）中華民国またはその後にできた中華人民共和国、一応戦勝した国扱いだったインドを呼ばないのは異常かつ失礼です。

委員会は悲しい音楽で誤魔化せたつもりでも、フランスの一般大衆は正直でした。彼らは原爆を見ながらちゃんと拍手をし、それに合わせて拍手をしたのがオバマ大統領だったのです。険しい顔をしながら拍手をする。さすがは、「白人」からも「有色人種」からも票を取れる人は違います。オバマの拍手については「イベントが終わった時の拍手ではないか」と彼を庇《かば》う人もいますが、その拍手は数分後に行っており、原爆キノコが上がる時の拍手は明らかに原爆を落とした戦争犯罪に対する拍手でした。

●原爆を「獣を獣として扱っただけ」と断言したアメリカ大統領

私は、原爆投下映像に拍手したオバマ大統領の行為は当然の行為だと考えます。難しい顔をしながら拍手する、あれがアメリカ人に選ばれた大統領のバランスの取れた行動なのです。アメリカ大統領はロシア大統領のような独裁者ではないので、国民受けも考えて行動しなければならないだけです。

アメリカの反日感情が強かった１９８０年代には、映画などで原爆を落とす映像が映ると、みんなで喜びの声を上げながら拍手をしていました。今でもそんなアメリカ人はいくらでもいます。「パールハーバーを忘れるな」と第二次世界大戦の責任全てを日本に負わせる一方で、「原爆のお陰で戦争が早く終結した」という趣旨の学校教育が行われているのですから仕方ありません。

原爆に対する姿勢は、敬虔なクリスチャンの方がマシな気がします。第二次世界大戦戦時下で原爆投下の知らせを受けた全米キリスト教会連邦会議の事務総長サミュエル・カバート氏は、当時の大統領トルーマンに「多くのキリスト教徒が動揺している。それが無差別破壊行為だからだ」と電報を送ったようです。それに対するトルーマンの解答は「獣を相手にするとき、あなたはそれを獣として扱わなければならない」

でした。トルーマンの原爆投下への評価は戦後も全く変わりませんでした。これこそがアメリカ人の基本的な姿勢であり、本音は今も同じです。

2023年の夏に同時公開された映画『バービー』(バービー人形)と『オッペンハイマー』(原爆開発に関わった研究者)をネタにバービー人形の髪の毛を原爆のキノコ雲にした画像がSNSに投稿され広がりました。それだけでも日本人としては不愉快このうえない事態ですが、これを受けてバービーの公式アカウントは「思い出に残る夏になりそう」と原爆の画像を歓迎する声明を出したのです。その後世界中で批判されたので、謝罪しましたが、「原爆は正しかった」「皆で喜ぼう」というのが今もアメリカ人の本音です。

唯一、数十年前と違う点があるとすれば、オバマ大統領を代表とするアメリカのインテリが素直に「原爆バンザイ」という姿勢を示さなくなったことでしょう。彼らは原爆に対し「獣を獣として扱っただけ」という伝統的なアメリカの価値観を共有する人が減ってきたのはSNSのお陰と考えます。

●本当に差別されているのはアジア人

大量虐殺されて「獣だからOK」と思われているにもかかわらず、自分達が差別されているにもかかわらず、アメリカでの人種差別と聞くと「黒人差別」を思い浮かべる日本人は「お人よし」を通り越してバカです。今、アメリカで本当の差別を受けているのは「黒人」ではなく、アジア人です。

分かりにくい人には、在日コリアンとそれ以外の外国人をイメージすれば良いでしょう。20世紀の人権教育では、在日コリアンは差別されている人の例として挙げられていました。それ自体はウソではありません。しかし、今、文化摩擦から起きる地元の人達とのトラブルや、様々な差別で問題になっているのは、圧倒的に技能実習生を始めとする東南アジア諸国の人達です。

彼らの多くは在日コリアンのように日本名の通名を持っていませんし、日本語も未熟な人が少なくありません。そのせいか、彼らに平気で失礼な態度をとり、自分の行為が差別であることを自覚していない人が少なくないのです。このタイプには高齢者が多く、同時に「在日朝鮮人を差別するな」と大声で叫ぶ「左翼老人」だったりします。まさに前世紀の人権教育の悪しき結果ではないでしょうか。

「A民族への失礼な態度は『差別』と教わったけれど、B民族への失礼な態度は『差別』

と教わっていない」

現在のアメリカの学校教育やメディアもこれと同様で、「黒人」への失礼な態度を始めとする差別はしっかりと否定されていますが、アジア人に対する同様の態度には鈍感なのです。


もちろん、奴隷として日本人以上の獣扱いを受け、産業輸入された結果アメリカに住むことになった「黒人」、それゆえに帰る母国を持たない「黒人」と、日本に密入国してきたにもかかわらずに、日本が嫌ならいつでも帰る母国があるというのに「差別されている」と大騒ぎして日本から金をむしり取るような在日コリアンを同列に論じるのは「黒人」に失礼ですが。

それでも、差別を主張した際に他民族よりも聞き入れてもらいやすいという点でアメリカの「黒人」と日本の在日コリアン、実態は差別されているにもかかわらず、その声が通りにくいアメリカのアジア人と日本の在日コリアン以外の外国人は似た境遇にあると言えます。

●アメリカで「黒人」と対立した韓国人

冷戦における資本主義側の勝利が明確になった1980年代、アメリカが次の攻撃対象を日本経済に移したことに気づいた韓国人は、主な移住先を日本からアメリカに変えました。日本を見限ったのでしょう。この辺は韓国人の賢さです。

彼らはアメリカで「黒人」やヒスパニック系の人達と民族対立（エスニック・トラブル）を起こします。在米コリアンは、彼らより前にアメリカに移住した日本人、インド人、中国人などと違い、「黒人」が多く住む貧困街に移住し、出店したのでした。しかも先住の「黒人」と融和することなく、コリアンコミュニティーを築いていきます。異民族が集まって住む地域は、どの国にもありますが（日本にもあります）、アメリカでいきなり「黒人」が多数住む貧困街に独自の民族コミュニティーを作ったのは、コリアンがはじめてでした。

当時のコリアンの黒人街進出は次のように記されています。

「黒人経営の靴屋の隣にわざわざ韓国系が安売りの靴屋を出す。韓国系の店は毎日、同胞でにぎわうのに、黒人の店では一切買おうとしない。頭にきた黒人が少々手荒な手段で抗議でもしようものなら、韓国系の弁護士が登場。貧しい黒人層は弁護士を雇うこともできず、結局、法律を楯にされて泣き寝入り。なかには店をたたんで、街を出て行く黒人もいるようです。その空いた店舗に新たな韓国系の店ができる。韓国人はこれを組織的、計画的にやっています。彼らの民族間の結束は怖ろしいほどです」（２０１４年12月２日東スポＷＥＢより）

「黒人」とコリアンの対立が明確になったのが、１９９２年に発生したロサンゼルス暴動です。きっかけはコリアンに何の関係もない１９９１年に起きた「白人」警官による「黒人」男性への暴行と翌年の無罪判決でした。

暴行の被害者になった「黒人」は、強盗事件の仮釈放中にスピード違反をし、それを警官に見つかると逃走、自分を捕まえた警官の「うつぶせになるように」との指示にも従いませんでした。これに怒った警官が「黒人」に暴行を加えると、たまたまそれを見た近隣住人がビデオカメラで撮影し、その映像が全米で報道されました。

事件発生から1年が経過した１９９２年4月29日、裁判所において陪審団は無罪評決を下します。これに怒った人達が「黒人」を中心に抗議行動を起こしましたが、その一部が暴徒化し、まずは警察署を襲撃、ついでロサンゼルス市街で商店への放火や略奪をはじめます。その時に主なターゲットになったのが「白人」経営の店ではなく、コリアン経営の店だったのです。コリアンは日本人のように黙ってやられてはいません。襲撃された店の人達は「正当防衛」として暴徒化した「黒人」に向けて発砲を繰り返しました。ロサンゼルス暴動は治まりましたが、在米コリアンと「黒人」の心情的対立は今も続いています。

南アメリカから移住してくるヒスパニックは低賃金労働を取り合って「黒人」と対立していましたが、「黒人」とアジア系が対立することはありませんでした。

自己主張が少ない日本人が「黒人」と対立しないのは分かりますが、インド人や中国人も彼らと対立しなかったのは、比較的富裕層が資本とセットで移住してくることが多いからかもしれません。もちろん、日本人、インド人、中国人も「白人」達に差別はされていましたが、差別は別の形で起きました。

●ありがとう在米コリアン

金を持つアジア系民族がそれまで「白人」だけが住んでいたエリアに住み始め、彼らに差別意識を持つ「白人」達が離れていくことで、そのエリアが民族コミュニティーになる、というのがそれまでの典型的なアジア人差別だったのです。その意味でコリアンと「黒人」の対立は「アジア人も差別されている」と再認識する良いきっかけだったのかもしれません。

今のアメリカでは「アジア系に対するヘイトクライム」もしっかりと社会問題になっていますが、そのきっかけはロサンゼルス暴動による「黒人」とコリアンの対立でした。それまでは「白人」による「黒人」へのヘイトクライムは社会問題視しても、アジア人へのヘイトクライムは無視されてきたのです。

差別されても差別されても黙って耐えた日系人、自分達への差別を見事に金儲けに変換できたインド人や中国人も立派ですが、私は自分達への差別をしっかりと声にだした在米コリアンには「よくやった」と感謝しています。

●アジア人差別を正義だと思っていたハーバード大学

最も堂々と、しかも「正義」であるかのように行われていた「アジア人差別」は大学入試です。人種の多様性の名のもとアメリカの大学への入学選考では「黒人」やヒスパニックは優遇されてきました。アメリカの一流大学の多くは私立大学ですから、誰を優遇しようが基本的には勝手です。

しかし、特定の民族が「白人」よりも高い点を取っても合格させないとしたら、それは私立大学でも許されない「差別」です。ハーバード大を始めとするアメリカの大学は、「アファーマティブ・アクション＝積極的格差是正措置」である「黒人」優遇を隠れ蓑《みの》に、このような差別を行ってきました。

２０１４年、ＮＰＯ「公平な入学選考を求める学生たち」（ＳＦＦＡ）は、ハーバード大などの許されざるアジア人差別を違憲だと裁判にもちこみました。当時から米国の大学では選考で人種を考慮することは認められてましたが、人種枠の設定は違憲と考えられていました。これに対しＳＦＦＡは、アジア系の受験者は増えているのに２００６〜14年の合格者に占めるアジア系の割合が18〜20％とほぼ一定だと指摘したのです。他人種の割合も変化がなく、実質的に人種枠がある証拠だと追及し、裁判の中で学業成績だけで選べば入学者の43％がアジア系になるというハーバード大の内部試算を明らかにしました。

この訴訟は、一審と二審はＳＦＦＡが敗れましたが、２０２３年6月に「人種を考慮した入学選考は、国民の平等な権利を保障する憲法修正第14条に違反する」という判断を示しました。この判決に喜んだのは、在米アジア人だけではありません。「黒人」やヒスパニックの優遇に不満だった「白人」の多くも、今のところは喜んでいます。来年度以降、入試が公平に行われればアメリカの一流大学の新入生は、自分達は優秀と勘違いしている「白人」の予想を裏切り、アジア人だらけになるでしょう。

この判決そのものは嬉しい限りですが、残念なのは、この裁判に最も積極的だったのが在米日本人ではなく、在米中国人だったところです。また日本では喜ぶどころか、「最高裁の判決は9人の判事の多数決で決まりますが、現在、保守派が6人でリベラル派が3人だったために、こんな（残念な？）判決が出た」という趣旨の報道をするメディアが多かった点です。

トランプ前大統領への悪意に満ちた報道から考えるに、日本はアメリカの奴隷国家なのではなく、アメリカ民主党の奴隷国家なのかもしれません。そういえば日本に原爆を落としたトルーマン大統領も民主党でしたし、その映像を見て拍手したオバマ大統領も、奴隷解放に反対して南北戦争を起こしたのも全て民主党でした。

●アメリカの「黒人」は「白人」です

アメリカに住む「黒人」の多くは「白人」という真実をご存じでしょうか。

アメリカの奴隷制度は、単なる人身売買ではなく「奴隷牧場」で「黒人」を育成し、家畜のように売買する巨大産業でした。それゆえ、今の牛のように奴隷オーナーは、彼らを「ワン・ヘッド、トゥー・ヘッズ…（一頭、二頭）」と数え、売買する時には、今の牛と同様「外見」と並んで「血統」が大切でした。

「白人」達は、自分達を他の人種より優れていると考えているので、「白人」の血が入った奴隷は高く売れたのです。そのため、女奴隷を妊娠させるのは男奴隷だけでなく、奴隷牧場オーナー達の仕事になりましたし、オーナーに雇われて女奴隷とセックスする仕事もありました。

奴隷牧場で誕生するヒトは純血の「黒人」だけでなく、「2分の1混血奴隷」、2分の1混血女性奴隷と「白人」の間に生まれた「4分の1混血奴隷」、4分の1女性奴隷と「白人」の間に生まれた「8分の1混血奴隷」などがいました。8分の1混血とは、つまり8分の7が「白人」ですから、「白人」と見間違えるような白い肌の奴隷も誕生し、彼ら（女）らは高く売れました。

しかし、「黒人」の血が一滴でも混じっていたら、その人は奴隷として扱われたのです。これをワン・ドロップ・ルール（ワン・ブラッド・ルール）と言います。「黒人」の祖先がいる限り、その人は「黒人」とみなすこのルールは今でもアメリカの基本的な考え方です。

差別意識が無ければ、ある人を「黒人」か「白人」かのどちらかに分ける必要はないし、あえてどちらかに分類するならば、公平に血統が多く混ざった方と判断するはずです。そう考えれば、現在のアメリカの「黒人」は奴隷牧場の手口から考えて、大抵は2分の1以上「白人」の血が混ざっていますから、ほとんどが「白人」なのです。

「黒人」差別意識の強いアメリカ人と比較的少ない日本人の違いが明確に出るのが、マライア・キャリーへの評価です。人種差別を研究する藤川隆男氏（大阪大学教授）が、学生に彼女は「黒人」と「白人」のどちらかと質問したところ多くはマライア・キャリーを「白人」と答えたそうです。しかし、アメリカではアングロ系の母とアフリカ系アメリカ人の父から生まれた彼女は今でも「黒人」にカウントされます。

「白人」達の差別や偏見はいつまで続くのでしょう。マライア・キャリーのように奴隷牧場と逆パターン（母が「白人」で父が「黒人」）が誕生し始めたお陰で、マライア・キャリーのような人を「ハーフ」「ミックス」「ダブル」と呼ぶ人達が現れました。

アメリカでも偽善者やインテリの間では、そう呼ぶのが「正義」なので、意外と早くヒトを「白人」「黒人」「黄色人種」と区別しない日が来るかもしれません。DNA検査をするのが当然になり、誰もが「私は○○%くらい○○系の血が入っていて、○○%は○○人みたい」と答える日が来ることを期待しています。

●「白人」が「黒人」を詐称した事件

それにつながるか否かは不明ですが、アメリカでは「白人」に位置付けられているユダヤ人が自分を「黒人」と詐称していた事件が起きました。アフリカからの移民を研究してきたジョージ・ワシントン大学のジェシカ・クルーグ准教授が、自分は人種を偽っていたと白状したのです。彼女は、自分は「黒人」ではなく、カンザスシティー出身の白人のユダヤ教徒だと明らかにしました。クルーグ氏は、「私は自分の人生を暴力的かつ反黒人的なウソで作り上げてきた。ひとつ息をするごとに、ウソをついてきた」と語り、それを受けてジョージ・ワシントン大学は、その学期の彼女の講義を取り消しました（BBCニュース2020年9月4日より）。

アフリカから輸入された奴隷の血よりも「白人」の血の方が多い人達を「黒人」と呼ぶ差別と偏見むき出しのアメリカ文化が、彼女のウソを可能にしたのです。もちろん、欧米のメディアや研究者は、そこまで掘り下げて報道・考察はしませんでしたが。

彼女のウソを可能にしたもう一つの理由は彼女の容姿でした。インターネットで「ジェシカ・クルーグ」と検索すれば、今でも彼女がやった「人種詐称」関係の記事だけでなく、彼女の容姿もすぐに見つかります。それを見れば彼女が「私は『黒人』です」と言えば、周りの人が信じるのも当然と思うでしょう。

ヨーロッパでユダヤ人は「白人」扱いを受けていませんが、それでも彼らが住む地域は大抵ヨーロッパか中東、つまりコーカソイド系の血が圧倒的に多いはずなのに、なぜ「黒人」に似た容姿の人が生まれるのか。少し考えれば当たり前ですが、ヒト（ホモ・サピエンス）はアフリカで誕生し、そこから散らばったからです。

何度も述べますが、外見でヒトをモンゴロイド、コーカソイド、ネグロイド（&オーストロイド）に分類することは、すでに非科学的です。今はヒト以外の動物さえDNAで分類する時代です。これによりハヤブサは、ワシ・タカ類ではなくインコに近い種だと判明し、ワシ・タカ類から外れたのは前章で述べたとおりです。

もちろん物理的に中東やヨーロッパの方が、我々が住む地よりもアフリカに近いのですから、DNAではネグロイドとコーカソイドの方が、ネグロイドとモンゴロイドよりも近いはずですが、いずれにしても、多くのDNAを共有するのですから、似た外見の人が生まれるのは不思議ではありません。

外見でヒトを3種や4種に分ける、しかもその背後に人種差別意識がある。私は、このような非科学的な態度をとる人がこの世からいなくなることこそ、言い換えるならば「白人」がこの世からいなくなることこそ、世界が平和になるための大きな一歩だと信じています。

●差別を法律にした南部各州

ジェシカ・クルーグ氏のウソを可能にしたのは、単にネグロイドとコーカソイドがDNA的に近いからだけではなく、彼女が「黒人」の血を引くからかもしれません。アメリカには自身を「白人」と勘違いしている「黒人」が大勢います。ここまで、述べてきたようにアメリカで「黒人」と呼ばれている人々の多くは5割以上「白人」の血統を有しますが、彼らを「黒人」にするのはワン・ドロップ・ルールです。

当初、ワン・ドロップ・ルールはアメリカの「差別ルール」に過ぎず法律ではなかったのですが、自分達の人種差別を合法化したかったアメリカ南部の人達は、それを州法にしました（１８７６〜１９６４年）。これらの州法を総称して「ジム・クロウ」法と呼びます。

ジム・クロウ法に必要なのは、「誰を」「どのように」差別するかです。

メイン・ターゲットは「黒人」でしたが、これらの法律ができ始めた１８７６年頃は、日本が「有色人種」で唯一の近代国家化に成功し、多くの中国人がアメリカに移民する時代だったので、ヨーロッパ系の白人以外の全ての人を差別対象にしました。

「白人」達の感情はワン・ドロップ・ルールですが、無限に世代をさかのぼることは不可能ですし、万が一可能ならヒトは全員がアフリカにさかのぼります。そのため法律による明確化が必要でした。あいまいな州法もありましたが、フロリダ州法では、４世代前までに「黒人」の血が一人でも含まれれば（16分の1）、その人を「黒人」と定義しました。他の「有色人種」もこれと同様です。

差別内容は、州によって異なりますが、次のような差別待遇がありました。

アラバマ州
・病院：「白人」女性の看護師がいる病院には、「黒人」男性は患者として立ち入れない。
・バス及び電車：待合場、乗車券販売所、座席、電車の車両などが「白人」と「有色人種」で区別された。

・レストラン：「白人」と有色人種が同じ部屋で食事ができるレストランは違法。
フロリダ州
・婚姻：「白人」と「有色人種」の婚姻禁止
・交際：一緒に居住してはならないし、共同の部屋で夜を過ごしてもならない（違反者は禁固または罰金）。
ミシシッピ州
・表現：パンフレット・出版・演説などで人種間の平等や異人種間の結婚を奨励してはならない（違反者は懲役または罰金）。

●アメリカの「白人」は「黒人」だらけ？

ジム・クロウ法は道徳的に最低の法律ですが、正直に言うと「現代に残っていれば面白かったのに」と思います。なぜなら16分の1などと無駄に明確な「有色人種」定義をしなくても、DNA検査をすれば、誰にどの程度「○○民族のDNAが多い」と分かるからです。そうすれば、アメリカの「白人」の多くがワン・ドロップ・ルールに従えば「黒人」だと明らかになるはずです。

そう。ワン・ドロップ・ルールに従うなら、アメリカの「白人」の大多数は「黒人」かもしれません。次にそれを説明しましょう。

アメリカの「黒人」に多くの「白人」の血が入っていることはここまで述べたとおりですが、そうなれば「外見」が「白人」になる人が多数発生しました。それなのに「黒人」として扱われるのは、実は、しっかりと家系がさかのぼれる人だけです。

想像してみてください。あなたが、「白人」そっくりの「黒人」の下に生まれ、別の州に移住した時、自分を「私はこんな外見ですけど実は『黒人』です」とアピールしますか？　容姿が「白人」そっくりで、引っ越した街でも普通に「白人」として扱われる。だったら「白人」とシラを切るのではないでしょうか。よほど「白人」を憎み「黒人」にプライドを持つ人を除いて、多くの「黒人」はそのように行動しました。

こういった「黒人」から「白人」への転身・変身は、アメリカが設立された当初から行われています。有名なのは、第3代大統領トーマス・ジェファーソンの家族です。アメリカ独立宣言を起草し、第3代大統領として民主主義の原理を作り、「建国の父」と称される彼は、「白人」と「黒人」の婚姻については「『白人』と『黒人』の血の結合は、この国を愛する者も、人間性の素晴らしさを愛する者も何食わぬ顔では同意できない劣化を生むものである」と主張する差別主義者でもありました。

　彼を擁護するならば、否定していたのはあくまで婚姻であって「黒人」との性行為には積極的でした。奴隷牧場での性行為は奴隷の資質向上になると考えていただけでなく、妻に先立たれてからは、「黒人」奴隷を愛人にし、彼女サリー・ヘミングスとの間に多数の子どもを設けたのでした。サリー・ヘミングスは「白人」の血が混ざる肌の色の白い女性だったので、彼女とトーマス・ジェファーソンの間には「白人」にしか見えない子がいたそうです。その中の数人は、ジェファーソンの金と権力により奴隷から解放されたあと、上手に他の州の「白人」社会に入っていきました。

　ジェファーソンの話が有名なだけで、こういった行動は珍しくありません。今ではDNA検査で自分にどの程度「黒人」の血が入っているか否かは分かるためか、DNA検査が一部の人達の間で流行しています。現在は6世代前（百数十年前）までさかのぼると先祖に「黒人」がいたと判明する人が「白人」の中に数パーセントいるようなので、アメリカ建国以降まで調べられる日が来れば、アメリカに住む自称「白人」達の多くが「黒人」だったという時代が来ることを期待しています。

　なぜなら、トランプ大統領登場のお陰で「白人」であることにしかプライドの持てない人を軽蔑する空気がアメリカに生まれたからです。ヒトを3種や4種に分類する人は、それだけで軽蔑される日は意外と近いかもしれません。

トランプ氏の名誉のために言うなら、彼の支持者は経済的に下流の「白人」（以下「下流白人」と呼びます）だけではありません。

●アメリカ最強の要因はユダヤ人の受入れ

この世から「白人」を無くせるのはアメリカだけです。

逆説的ですが、グローバリズムよりもナショナリズムを重視したトランプ元大統領の積極的な支持者に「下流白人」が多かったこと。それを民主党支持のメディアが実態以上に大げさに報じ、「トランプ大統領支持者」≒「下流白人」というイメージ操作に走ったことで、近々アメリカでは「白人≒優秀な人種」という妄想が崩壊していくはずです。（不正がなければ）2024年度から始まるハーバード大学などの一流大学のアジア人率増加と白人率低下も、崩壊の一助になるでしょう。

アメリカは、ヨーロッパで「白人」扱いされず迫害されてきたユダヤ人を「白人」として受け入れたお陰で世界最強の国になり、今も発展し続けています。これまでそれに感謝していたユダヤ人達でも、自分達を除けば「アジア人の方が学力は高い」という現実に気づけば、平気で他の「白人」を切り捨てる可能性はあります。それこそが彼らの選民思想だからです。

原爆の理論的支柱になる相対性理論を構築したアルバート・アインシュタイン、心理学に大きな功績を残したジークムント・フロイト、アメリカの経済政策を理論で支えるポール・サミュエルソン、ミルトン・フリードマン、ポール・クルーグマンなど大勢の経済学者、言語学者で行き過ぎたグローバリズムを批判し著名になったノーム・チョムスキー、投資で世界を動かすジョージ・ソロス、情報で世界経済を動かすブルームバーグ（Bloomberg）を創設したマイケル・ブルームバーグ、ファッション界の頂点と言えるカルバン・クライン、映画界の権威スティーブン・スピルバーグなどはユダヤ人でした。

そして何より現在、事実上世界を支配しているメジャーなＩＴ企業、Googleの創始者ラリー・ペイジ、Facebookの創業者マーク・ザッカーバーグ、アップルの創業者スティーブ・ジョブズ、マイクロソフトの創業者ビル・ゲイツらもユダヤ人と言われています。

こうして見るとユダヤ人を受け入れたから、今のアメリカの発展があるという主張に説得力があるのではないでしょうか。では、アメリカの繁栄は永遠なのか。人類の歴史を見れば、永遠の繁栄はありません。アメリカにも繁栄の終焉は起こるでしょう。

●「白人」を巡る連邦裁判所の二枚舌

ヨーロッパ諸国は、国内のユダヤ人差別とアラブ地域への侵略戦争を正当化するために、外見に宗教を加えて「白人」を狭い概念にしました。しかし、進化論を源にする「白人」「黒人」「黄色人種」などの人種分類は、文化を基本要素とする民族分類ではないので、人種分類に宗教を加えることは、その時代でさえ極めて非科学的でした。DNA検査で何代も父系・母系をさかのぼれる今となれば、ヒトを3種や4種に分類すること自体非科学的ですが、ヒトの分類が全てウソとなると、欧米人達が行ってきた差別・奴隷売買・虐殺などの歴史が全て否定されるので、彼らは何としてでも「白人」概念を守らなければなりません。

とりわけ、「白人」の移住だけ（のちにアフリカ人の移住も認める）を認めたアメリカにおいて誰が「白人」かは法律上の大問題でした。移住（と言う名の侵略と先住民殺害）により成立したアメリカは1790年に帰化法を定め、「自由な（奴隷ではない）白人」以外の移住を認めないこととしました。当初は、問題にならなかったのですが、アメリカが最強国になると日本人、中国人、インド人の中にもアメリカへ移住する人達が増加します。彼らはアメリカに住むことは可能でしたが、行政部門は帰化法を根拠に彼らがアメリカ人になることを拒否しました。

これに関係する判決が１９２２年、１９２３年と続けて出ています。

１９２２年の判決は、長年ハワイに在住した小沢孝雄氏が帰化申請を拒否した政府に対する連邦裁判所の判決でした。小沢氏の主張は

①　１７９０年に制定された帰化法では「自由白人」のみ帰化可能と規定したが、そこで「白人」を修飾する「自由」と言う用語は「奴隷でない者」の意味である、従って「奴隷」以外の者については帰化を認める趣旨である

②　その後、奴隷制廃止を定めた修正第13条（１８６５年）及び法の下の平等などを定めた修正第14条（１８６８年）を反映した１８７０年の帰化法改正でアフリカ出身の者に係る規定が追加された結果、奴隷で解放された者も帰化できることになり、その結果全ての者が帰化できる

③　さらに、米国が領土を拡張しハワイあるいはプエルトリコを領土とした際、その住民は肌の色にかかわらず米国籍を与えられたことからも、「白人」は人種概念では

ないはずである。実際にすでに帰化を認められた日本人もいる、と主張した。また、
④　憲法修正第14条が、人種、肌の色、あるいは国籍の違いにかかわりなく、米国領土域内のすべての者に例外なく適用されると規定している
と、ほぼ完ぺきな主張をしましたが、これに対する連邦裁判所の判決は
「白人とはコーカソイドを指す」

「原告は明らかにコーカソイドではないので帰化能力を否認するべき」

というシンプルな人種差別判決を出しました。

ただ、帰化法における「白人」とはコーカソイドなのであって、ヨーロッパのような民族差別ではなく当時のレベルでは「科学的」な態度だったので、その点はアメリカ人らしいスタンスでした。

この判決は、アメリカ移住を求めるインド人にとって大きなチャンスでした。インド・パンジャブ州生まれの人が、自分は人種的には「アーリア系」であり、コーカソイドなので、帰化が許容されている「白人」に該当し、帰化が認められるべきだと訴えました。

これに対し連邦裁判所は、1923年2月に、帰化法上の「白人」とは「科学的」な意味での白人種ではなく建国当時の認識としての白人であり、インド人はこの規定上の白人

に該当しないので帰化は認めないという判決を出します。

立て続けの連邦裁判所の判決により、アメリカもヨーロッパ諸国と差別の対象が異なるだけで単なる「人種差別大国」であると明らかになりました。アメリカの良い（？）ところは、移民排除を連邦裁判所の判例に任せるのではなく、翌年（1924年）に移民法改正で対処したところです。これによりアジア人の移民は全面的に禁止され、ヨーロッパでも貧乏人の多い東ヨーロッパ出身者と南ヨーロッパ出身者の移民も制限しました。

しかし、「白人」間の人種差別は、すでにアメリカではモラルに反したので、議会は1890年（法制定時の34年前）の国勢調査に基づき外国生まれのアメリカ人を出生国別に分類し、各国籍の人々の総数の2パーセントしか移民させない、としたのでした。もはや、アメリカ移住希望者の少ないイギリス人やフランス人はいつでも移住できるけれど、当時、増えてきた東ヨーロッパや南ヨーロッパからの移住は制限できる。

綺麗な理屈をつけて本音が実現できる法律を考える。これこそが、アメリカの政治家に求められる能力であり、これは今も変わりません。ちなみに日本では、この法改正を「排日移民法」と呼びますが、この名は不適切です。排除されたのは日本人だけではないし、直前の連邦判決を考察し「人種差別移住法」などと名付けて高校世界史で教えていけば、日本人は今よりもアメリカという国の本質に近づけるはずです。

●真実に気づき始めたアメリカ人

血統割合の多い方を名乗るなら、アメリカの「黒人」の多くは「白人」であり、ワン・ドロップ・ルールに従うならアメリカの「白人」の相当数は「黒人」という真実はここまでに述べたとおりです。アメリカの素晴らしいところは、これらの真実に気づいた人達が急激に増えている点です。

「間違っていた」と気づいた時の適切な方向修正とその速さ。ヨーロッパで差別されるユダヤ人の移住受入れと並び、これもアメリカが最強国になった要因でしょう。

対して先進国で一番方向修正が苦手なのが日本政府です。分かりやすいのが「ニート」です。情報社会になれば男女共に働く方が、社会全体が豊かになります。それゆえ国際標準では「専業主婦はNEET」にカウントされOECDが毎年、各国のデータを発表しています。ところが日本は税や年金で専業主婦を優遇する「遅れた国」なので、その事実を明らかにせず、厚生労働省とマスコミがグルになって偽の「ニート」データで国民を騙し、OECDには情報提供さえ止めてしまったのです。その結果、いまでも「大した収入もないくせに妻が外で働くことに反対する男」「専業主婦を夢見る婚活女性」「嫁が外で働くことに反対する義理の親」などがゴロゴロいるのでしょう。その代わり、日本人には明治維新やGHQによる大改革などを平和裏にできるという世界一有能なところもあると信じますが、その後の適切な方向修正ができない無能な政府が、大東亜戦争とその敗北を生み、30年間GDPが成長しない「不思議な国」を造りました。

アメリカの話に戻します。アメリカでは10年ごとに国勢調査を実施しますが、その中に調査対象者の「人種・民族」をチェックするところがあります。2010年から2020年で「白人」は8・6%も減少しました。10年間で実際の人口がそこまで減少するはずがありません。アメリカ人が真実に気づき始めたのです。その証拠に自分は「2つ以上の人種・民族」と考える人は、900万人から3380万人と276%も増加したのです。

ジム・クロウ法が廃止になったアメリカでは、国勢調査において「自分が人種的に何人か」は自分で決めることが可能です。その上、21世紀に入り本章で記したような事実を、アメリカのメディアは次々と明らかにしていきました。知的な人から「白人」という概念そのものが今では「非科学的」であり、DNA検査で判明するのは、どの地域に住む人の血が多いかに過ぎないと気づきだしたのです。その結果が国勢調査で自分を「2つ以上の人種・民族」とチェックする行為です。900万人から3380万人に増加したのは、アメリカ人の「インテリ」の数と言っても良いのかもしれません。

●アメリカを見習おう

ここまで見てきたようにアメリカ人は「嫌な奴ら」です。しかし、日本国の発展を考えるならば、彼らを見習うべきところはあります。最後にそれを挙げてみたいと思います。

1 方向修正を恥じるな

日本政府が方向修正を苦手とするのは「恥の文化」が大きな理由でしょう。「文化」や「モラル」そのものは絶対でなく、時と場所によって変わるモノで、時代による方向修正は恥ではありません。ちなみに日本文化を「恥の文化」としたのは、アメリカの文化人類学者ルース・ベネディクトでしたが、彼女は同時に欧米の文化を「罪の文化」とし、自分達の文化を格上かの如く評論しました。日本の文化に恥の要素が強い点は認めますが、欧米文化が「罪の文化」（罪を否定する文化）というのはデタラメで、あえて言うならば「罪そのものの文化」と評価すべきです。

2　移住者は区別して受け入れよう

多様なDNAが明らかになってきた21世紀の現在、人種を3種や4種に分類すること自体「非科学的」ですが、多様な民族（文化による分類）が存在するのは事実です。国により、また同じ国内でも民族により経済力だけでなく犯罪率も平均学力も異なります。だったら、受け入れる民族の数と割合を明確にすべきです。一部の左翼は「民族差別」と騒ぐでしょうが、これは世界の潮流なので、政府さえまともなら国際的非難は少なくて済むはずです。反日的な言動を是とする民族を多数受け入れてきた「不思議な国」が変われるチャンスではないでしょうか。

3　日ユ同祖論をアピールしよう

中国のユダヤ人コミュニティーは遅くとも宋代（960年－1279年）には成立しており、その一部が日本に渡った結果、本州と四国にはユダヤ人が営む商店街があったとする説が有力です。1600年までに、移住と同化を通じて、西日本にはユダヤ人として識別可能なコミュニティーがあったということのようです。

また、日本人の祖先（の一部）は、２７００年前にアッシリア人に追放されたイスラエルの「失われた十支族」の一つとする日ユ同祖論や、古代日本の皇室を支えた秦氏がユダヤ人だったと主張する歴史研究者がいます。それらの説の当否を判断する能力は、私にはありませんが、これらの説は、より深い研究を国が支援しても良いくらい有難い説だと思います。その姿勢を見せるだけでも、活躍しているユダヤ人達が一層親日になってくれるのは間違いありません。

「日ユ同祖論」の根拠は様々ですが、最も感動的なのは「君が代」を一度「ヘブライ語の音」にして「ヘブライ語の意味」で捉えなおすとしっかりとした歌になるところです（図表7）。「君が代」は、10世紀に編纂された『古今和歌集』に「詠み人知らず」として登場した歌ですが、『古今和歌集』自体が『万葉集』編纂から漏れた歌もつづっているので、「君が代」は古代から歌われていた可能性があります（今の曲が付いたのは明治時代です）。

興味深いのは「日ユ同祖論」が日本の片思いではないところです。伝統的なユダヤ人は今も行き先不明の「失われた十支族」が今どの国にいるかを探しており、日本は有力候補の一つです。

私たちの文化の一部がユダヤ由来であるとしたら、個人的にはこれほど嬉しいことはありません。朝日新聞と並ぶ代表的反日メディアＮＨＫが、『徹底検証！　日本・ユダヤ同祖論』という番組で、日ユ同祖論を全否定していたのは、この説が有力になってきた証拠です。

図表７　ヘブライ語と日本語の類似点

日本語	ヘブライ語の音	ヘブライ語の意味
君が代は	クム・ガ・ヨワ	立ち上がり神をたたえよ
千代に	チヨニ	シオンの民
八千代に	ヤ・チヨニ	神に選ばれし者
細石の	ササレー・イシィノ	喜べ残された民よ、救われよ
巌となりて	イワオト・ナリタ	神の預言は成就した
苔の生すまで	コカノ・ムーシュマッテ	全地に語れ

ちなみにキリスト教徒とユダヤ教徒の決定的な違いは、キリスト教徒がキリスト教から発するモラルを全人類に押し付けるのに対し、ユダヤ教ではユダヤ教徒とユダヤ教徒以外の人に要求するモラルが異なる点です。彼らがユダヤ教徒以外の人々に要求するモラルは「ノアの７つの法」と呼ばれ、以下の７つです。

「偶像崇拝の禁止」「冒涜の禁止」「殺人の禁止」「性的不道徳の禁止」「窃盗の禁止」「生きた動物の肉を食べることの禁止」「司法制度の確立」

神社に偶像はありませんし、旧約聖書には一夫多妻がありますから愛人もギリギリセーフでしょう。日本人のモラルと合わないのは魚の「踊り食い」くらいです。

4　国益のために二枚舌を使おう

個人も企業も政府も善人ぶればメリットがあるのは世界の常識です。日本の捕鯨を批判し続けたIWC（国際捕鯨委員会）の、本音は環境保護ではなくキリスト教に基づく独善主義でした。だから、メンバーである日本にあんなに偉そうな態度を取れたのです。キリスト教徒の本音を示しておきます。

「水の中にいるすべてのもののうち、あなたがたの食べることができるものは次のとおりである。すなわち、海でも、川でも、水の中にいるものでひれとうろこのあるものは、これを食べることができる。すべて水に群がるもの、またすべての水の中にいる生き物のうち、すなわち、すべて海、また川にいて、ひれとうろこのないものは、あなたが忌むべきものである。これらはあなたがたに忌むべきものであるから、あなたがたはその肉を食べてはならない。」

（レビ記11章9～11節）

日本はIWCを脱退し、商業捕鯨を復活させながら、一方で環境の大切さを主張しています。日本政府には珍しくしっかりした態度です。海外とのあつれきよりも利権を取ったのでしょう。国益には利権の合計という側面があるので、捕鯨に対する日本政府の姿勢は支持すべきと考えます。

本章で、アメリカの人種差別の実態をご理解いただけたと思います。

とは言え、アメリカは今のところ最強国ですから、敵にすべきではありません。勝てそうにない国や優秀な民族とは全面的に争わない。これは、一国家、一民族が生き残るための基本です。その意味で、私はユダヤ民族と漢民族は敵にしてはならないと考えています。「ユダヤ人を敵にするな」と言えば、多くの人は納得してくれると思いますが、「漢民族を敵にするな」と言えば、それだけで「反日」「左翼」のレッテルを張りたがるネトウヨがいるかもしれません。

しかし、国民と民族は異なります。共産主義を独裁の建前とする中華人民共和国は仮想敵国ですし、ゆっくりと経済的破綻に追い込むべきですが、漢民族は台湾やシンガポールという別の国も持っていますし、世界中に住んでいます。次章では、中国や漢民族との付き合い方を考察しましょう。

第4章　中華思想を見習おう

●国民と民族は違います

「国民」と「民族」は違うという国際常識がないのは日本人の弱点の一つです。日本人が勘違いしている理由は、思いつくだけでも4つはあります。

1つ目は、日本に近代国家＝明治政府が誕生するはるか以前から、私達には「ここは日本」という意識があったため、明治政府が「国民意識」を植え付けるのが容易だったことです。明治政府成立以前は「〇〇藩の人」とか天領なら「江戸っ子」「都人《みやこびと》」「浪速っ子」「博多っ子」といった意識が主だったので、別途「国民」意識を植え付ける必要はゼロではありませんでしたが、二百数十年にわたって平和だった江戸時代のお陰で、明治政府が平和裏に人々に「国民」意識を植え付けることが可能だったのです。

江戸時代がなく、（現在の）山梨県民と静岡県民が殺しあうのが普通だった戦国時代があのまま続き、18世紀に軍事力で日本を上回る欧米諸国が各大名に近づいていたらどうなっていたでしょう。おそらく藩意識しかなかったインドに住む人達と同じ運命が待っていたと思います。「国民意識」は生まれず、各藩は英仏代理戦争などを強要され「日本」はバラバラになり、皇室制度さえ無くなっていたかもしれません。

2つ目は、血縁意識よりも地縁意識の方が強い点です。それがユダヤ人や漢民族と日本人の大きな違いです。明治国家は皇室、貴族、武士だけでなく庶民にも「家意識」を強要し、それが令和になった今も残っているため、自分達は血縁意識が強いと勘違いしている人もいますが、日本で、純粋に血縁でつながっているのは皇室だけです。それ以外で比較的血縁関係が強いのは貴族系の源平藤橘《げんぺいとうきつ》くらいです。武士になると大名家でさえ、血縁ゼロの人を養子にして「家」を守りました。武家に必要だったのは血縁ではなく「家」です。

苗字を持たなかった庶民になると複数の男性からの「夜這い」や「夜祭（での乱交）」で誰が父親か分からない子も「一族」として受け入れました。また「夜祭」には喜んで「よそ者」を受け入れる街や村もありました。つまり９割以上の日本人が重視するのは「同じ村や町に住む」地縁であって血縁ではなかったのです。

３つ目は日本民族が分断された時代がなかったことです。朝鮮半島近辺に住む朝鮮族は、しょっちゅう複数の国に分断していたので「国民」と「民族」が異なることを実感しています。今も彼らは「韓国」「北朝鮮」「中華人民共和国の半島付近（延辺朝鮮族自治州）に住む朝鮮族」に三分されています。日本では「コリアンは二分されている」と勘違いしている人が少なくありませんが、北朝鮮よりも北のエリアに彼らは「中国の一少数民族」として暮らしているのです。

最後に、左翼達がアイヌの人々を今でも一民族だと主張し、「沖縄県民」を別の民族だとデタラメを主張するので「国民」と「民族」を別に考える事自体「変な人達の主張」と感じてしまうのかもしれません。

●中華人民共和国を敵にしても、漢民族を敵にするな

本章の最初に「国民」と「民族」の違いを記した理由は、日本人がその常識を有してないために、中国人と仲良くなった途端に親中派と言う名の中華人民共和国の準スパイ化する人や、中華人民共和国の不当な主張を見て「中国人全体」を敵とみなす人が少なくないからです。

誰を好きになり、誰を嫌いになるかは、個人の自由ですが、誰を敵にし、誰を味方にするかは個人の自由ではありません。子どもがどれほど生意気でも親には18歳まで養う義務があり、離婚しない限りどんなに配偶者を嫌いになっても、相互に相手を養う義務は消えません。未成年の子や配偶者ほどではありませんが、それ以外の親族間にも、可能なら困っている人を助ける民法上の義務があります。

法で縛られる個人ではないけれど、国家や民族も好き嫌いと敵・味方は同じではありま

せんし、それを勘違いして同じにしてはいけません。アメリカは日本に2発も原爆を落としても一切謝らない酷い国ですが、世界の最強国である限り敵にすべきではありません。だからこそアメリカを「白人」の国から「白人」概念にこだわらない、ヨーロッパ諸国よりまともな国にすることを私達「日本人」（日本国民としても、日本民族としても）の目標にすべきと私は考えるのです。

同様に、ユダヤ人のように「超優秀」な民族と、「優秀さ」と「量」を兼ね備えた漢民族は、残念ながら私達日本民族よりも「強い」ので敵にしてはいけないのです。

私は自分達よりも「強い」漢民族全体を敵にした日中戦争は、世界一強い国だったアメリカを敵にした対米戦争と並ぶ大日本帝国の失敗だと考えます。このように言うと「当時の中国にも親日派（汪兆銘）がいた」という反論が成り立ちますが、彼は親米派（蒋介石）や親ソ派（毛沢東）よりも遥かに少ない支持しか漢民族からは得られませんでした。

●民族の戦いは戦争とは限らない

中国王朝の中で、遼・金・元・清の支配者は漢民族ではなく、漢民族はこれらを「征服王朝」と呼びます。自分達の国を２０００年以上持てなかったユダヤ人や、遼（９１６～

1125)、金（1115～1234）、元（1271～1368）、清（1616～1912）と数百年にわたり、巨大な土地を異民族に取られ、彼らの支配下にあった漢民族はなぜ、21世紀の今も巨大な民族として存在し続けるのか。それは、彼らが強力な血縁関係とハイレベルな独自文化を有するからです。

ちなみに民族の定義は学術的に固まっていませんが、少なくとも「われわれ○○人」という帰属意識に加えて、共通の言語と生活様式（宗教を含む）が必要と考えます。

ユダヤ人はユダヤ教徒を指しますが、血縁がない人は簡単には教徒になれません。その意味で実は「血縁」を重視する民族でもあるのです。もしユダヤ教がキリスト教のように安易に教徒になれる宗教だったら、21世紀、彼らの子孫はいても一つの民族としては存在できなかったでしょう。

漢民族はユダヤ人のように「○○教を信じれば漢民族」というルールはありません。逆に言えばどれほど中国文化に精通しても血縁がなければ漢民族にはなれません。その意味でユダヤ人以上に強い血縁主義者です。

他国の「国民」になった時にこそ、彼ら「漢民族」が有する帰属意識の強さは際立ちます。アメリカ人になった日本人や韓国人は、次の代には日本語や韓国語を使えなくなり、単なる「日系アメリカ人」や「コリアン系アメリカ人」になりますが、漢民族の多くは何世代経っても「アメリカ国民」として英語を使い、同時に漢民族として中国語も使います。以前は同じ中国語でも上海エリアと北京エリアでは東北弁と鹿児島弁くらいに違い会話が大変だったそうですが、今では日本の若い子たちが標準語に近い言葉を使えるように、ＳＮＳとともに育った世代の「チャイニーズ系アメリカ人」は英語と中国語の両方で意思疎通できる人になったそうです。

●漢文化に征服された「征服王朝」

どんな国に住もうと帰属意識を失わないのに加えて、他の文化に影響されることはあっても文化が消滅しない点も「民族の強さ」の要素です。ユダヤ人は少数なので彼らの戦闘能力は不明ですが、自分達よりも遥かに人口の少ない少数民族に何度も支配された漢民族は、極めて戦闘能力の低い民族です。

しかし、征服王朝を支配した民族と漢民族の現状を比較すれば、民族としての「勝ち組」がどちらかは明らかです。

遼（９１６～１１２５）を支配した契丹《きったん》人は、北東アジアに４世紀頃から居住していた遊牧民だったと考えられますが、今では民族として存続していません。２００年にわたり多数の漢民族を支配した彼らは、今では歴史上の民族になってしまったのです。

金（１１１５〜１２３４）を支配した女真《じょしん》人は、17世紀に「満州」（「マンジュ」と発音）と改称し、清（１６１６〜１９１２）を設立して漢民族を３００年にわたって支配しましたが、今では中華人民共和国の「55の少数民族」の一つになり、１０００万人程度しかいません。

元（１２７１〜１３６８）を支配したモンゴル人は、「黄色人種」が「モンゴリアン」と呼ばれる根拠であり、東アジアから東ヨーロッパにわたる世界最大の領域を持つモンゴル帝国を造りました。戦闘能力という点では世界有数（世界一？）の民族です。しかし、今ではモンゴルに約３００万人強、中華人民共和国の「55の少数民族」の一つとして６００万人強、合計１０００万人程度の人口しかありません。

どうして支配した民族が少数派になり、数百年も支配された漢民族が増え続けたのでしょう。それは、支配者が被支配者に文化で洗脳されたからです。最初に漢民族を支配した契丹は、漢民族の文化的影響を恐れたのか支配体制を別にする二元統治を行いました。自分達は漢民族を支配する前からの部族制を維持し、漢民族の支配は漢民族の中から官吏を選び彼らを使って間接支配したようです。しかし、定住するようになった遊牧民族は次第に農耕を前提とした生活スタイルへと変化し、民族としては漢民族にのみ込まれたのでしょう。

●世界一「勉強ができる」中国人

漢民族の強さは、強烈な血縁主義や共有する文化レベルの高さと世界に広がる莫大な人口だけではありません。残念ながら彼らの学力は、今では日本人を遥かに上回ります。

21世紀初頭、左翼に牛耳られた教育界は、ＰＩＳＡ（学習到達度に関する国際調査）で世界一になったフィンランドを見習おうと騒ぎました。それもフィンランド教育の実態ではなく、自分達に都合の良い部分だけをかいつまんで紹介していました。

フィンランドの学校教育では「フィンランドには徴兵制があり、それに従わない者は服役が待っている」「道徳の時間は児童生徒を自身が信じる信仰ごとに分けて行う」「勉強ができない者は義務教育でも留年する」といった左翼が肯定できない部分も多々あるのですが、それらは全て隠して、「学校運営は学校に任せているので教育委員会訪問によるチェックはない」「教員資格は大学院に行かないと取れない」「１学級の人数は少ない」「能力別クラス運営はしない」など小中高の教師や教育学部の教授達に都合の良い部分だけを紹介したのでした（今も左翼達はそこしか紹介しません）。いつものことですが左翼残党達の知性とモラルの低さには驚きます。

そもそも彼らが本気で日本人の学力向上を望んでいるなら、今は「中国人を見習え」と主張するはずです。４大都市だけの参加ですが中華人民共和国は全教科で断トツの1位でしたし、中国人達が造った都市国家シンガポールは、中華人民共和国の4大都市を除けば全分野で1位です。しかし、フィンランドが1位だった時に「フィンランドを見習え」と主張した人の中で「シンガポールを見習え」と主張する人を一人も知りません。左翼が共産主義を建前とする「中華人民共和国を見習え」と言わないのも、もはや、彼らには「日本をダメにする」しか目標がなくなった証拠でしょう。

左翼に牛耳られた教育界のせいか否かは不明ですが、日本は学力が高い国ではなくなりました。ユダヤ人を除くと、今、世界で断トツに「賢い」のは漢民族です。２０２３年現在、イスラエルは国際的な学力審査に参加していませんし、世界レベルの賢人や大金持ちを多数輩出する各国のユダヤ人について彼らだけを学力検査するのは不可能なのでユダヤ人の平均学力を調査することはできません（それができれば、ユダヤ人は中国人以上の高

図表8　全参加国・地域（81か国・地域）における比較

[点線枠] は日本の平均得点と統計的な有意差がない国

	数学的リテラシー	平均得点	読解力	平均得点	科学的リテラシー	平均得点
1	シンガポール	575	シンガポール	543	シンガポール	561
2	マカオ	552	アイルランド*	516	日本	547
3	台湾	547	日本	516	マカオ	543
4	香港*	540	韓国	515	台湾	537
5	日本	536	台湾	515	韓国	528
6	韓国	527	エストニア	511	エストニア	526
7	エストニア	510	マカオ	510	香港*	520
8	スイス	508	カナダ*	507	カナダ*	515
9	カナダ*	497	アメリカ*	504	フィンランド	511
10	オランダ*	493	ニュージーランド*	501	オーストラリア*	507
	信頼区間※(日本):530-541		信頼区間(日本):510-522		信頼区間(日本):541-552	

国名の後に「」が付されている国・地域は、PISAサンプリング基準を一つ以上満たしていないことを示す。

(国立教育政策研究所より)

学力集団の可能性は高いと思います）。

図表８はＯＥＣＤが実施した学力調査（２０２２年のＰＩＳＡ）の結果です。シンガポールはご存じのように漢民族が住む国やエリアです。２０１８年のＰＩＳＡでは中華人民共和国の四都市が参加し、国家レベルで最上位だったシンガポールよりも、はるかに良い成績でした。

ＰＩＳＡの結果だけだと、日本人は今でも漢民族に続く学力を有する民族に見えますが、それも間違いです。ＰＩＳＡの科目には読解力（国語）、数学、科学（理科）で英語が入っていません。実施主体がＯＥＣＤで加盟国には英語を母国語とする国が多いのですから、これは当然です（２０２５年から英語も入れる予定ですが）。

では、英語を母語としない国々での英語力はど

図表9　EF EPI英語力順位

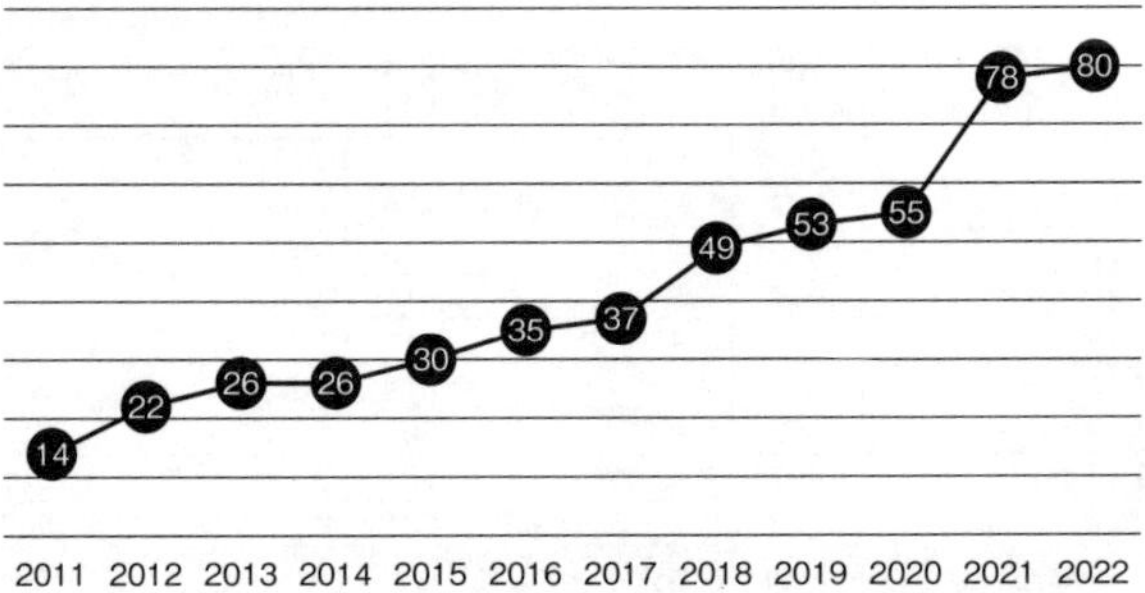

(EF EPIデータより作成)

うか、それが図表9です。

もはや真ん中以下。英語力だけならば世界で「勉強」が苦手な側に入るのが日本人なのです。

日本がアジアで唯一の先進国で、比較対象が「白人」の国しかなかった時代は、日本人は世界一の高学力民族だったので

「日本語は英語と構造が大きく異なるから学びにくい。それゆえ日本人は英語ができない」

と言い訳をしてきましたが、そんな言い訳は通用しません。前者は事実ですが、母国語の言語構造が英語と大きく異なるのは韓国語も同様です。韓国も他の科目と比較すると決して順位は高くありませんが、それでも36位（２０２２年）と健闘しています。

今のところ、数学や理科といった得意分野では中国人に続く順位を日本は韓国やエストニアと争っていま

すが、英語力で韓国人と日本人の間に生じた「努力格差」を考えると、日本人が「どの科目もできない低学力集団」になる日はすぐそこかもしれません。

●インテリ界で中国人とアメリカ人は大の仲良し

中華人民共和国が共産党一党独裁国家なので、たまに米中の関係を冷戦時代の米ソ対立のように誤解している人もいますが、米中対立は米ソが必死に争った「共産主義」vs「資本主義」のような本質的対立ではありません。中国のエリートで共産主義を本気で信じている人はいないし、旧ソ連のようにイデオロギーを他国に布教しようと考えている人もいません。仮想敵国の人間を洗脳してスパイにできれば良いくらいにしか考えていないのです（洗脳が容易で最高のスパイ天国はもちろん日本です）。

時に米中は国益をぶつけて激しく言い合いますが、国を代表するインテリ達は大の仲良しです。なぜなら、彼らの多くは同じ大学や大学院で学んだ級友（同級生や先輩後輩）だからです。

現代の中国のエリート達は競って米国に留学をし、それに届かない若者がヨーロッパ諸国の大学。それも無理な人や親が貧乏だけど学び続けたい人達が、中国人にお金を援助してくれる東大をはじめとする日本の大学に留学してくるのが悲しい現実です。米国に留学した中国人には、他国のビジネスで成功する人もいますが母国に帰って政府や企業のエリートになる人も少なくありません。

米国大学院に留学する学生数（２０２０年）とその順位を日中で比較すれば、如何に中国が積極的に米国留学を推進しているかが分かるはずです（英仏独の留学生数が不明なので、順位にはこれらの国を含みません）。

農業科学系大学院	中国１，２００名（1位）	日本30名（16位）
生物科学系大学院	中国５，４７０名（1位）	日本１００名（18位）
コンピューター系大学院	中国１４，７８０名（2位）	日本１３０名（16位）
工業系大学院	中国２４，２９０名（1位）	日本１９０名（20位）
数学系大学院	中国９，７３０名（1位）	日本50名（19位）
物理学系大学院	中国６，２６０名（1位）	日本80名（20位）
心理学系大学院	中国９４０名（1位）	日本30名（13位）
社会科学系大学院	中国５，６２０名（1位）	日本２８０名（8位）

　これほど圧倒的な留学生数の違いを見ると「日本は国内の大学のレベルが高いので、わざわざ米国に留学する必要がないのでは」と勘違いする人がいるかもしれませんが、２０２２年の大学の国際的評価（ＱＳ世界大学ランキング）は以下のとおりです。人口が多い中華人民共和国にある大学だけでなく、香港やシンガポールの大学も国際的評価が高いことから、これらは中国人≒漢民族の優秀さの表れと分かるはずです。

シンガポール大学　8位
北京大学　17位
清華大学　25位
シンガポール南洋理工大学　26位
香港大学　26位
東京大学　29位

　自国内の大学の国際的評価も高いのに、大勢を米国の大学院に留学させ、米国エリート達との人脈を構築する。このように考えると、もはや、日本政府と中国政府の国家戦略レベルは雲泥の差と捉えるべきでしょう。

●世界一難しかった「科挙」

漢民族が、急に勉強ができるようになった訳ではありません。むしろ、他民族から「漢民族は頭が良い」と思われていなかった19～20世紀の方が、珍しい時代でした。隋から清の時代（589～1912年）までの約1300年間にわたり行われた官僚登用試験＝科挙は、ヒトの歴史上最も難しい試験だったという説があります。試験の難易度を客観的に比較するのは困難なので、この説の正否は不明ですが、1000年以上にわたって困難かつ（かなり）公平な官僚登用試験が行われた地域は、地球上で中国エリアしかありません。

「科挙」とは、科目を設けてその選抜選挙をするという意味ですが、その内容は時代とともに変化しました。どこから出題するか（経典 or 漢詩）、何を重視するか（暗記能力 or 文章能力）、試験一本か特定の学校を卒業したことを受験資格とするかなど様々でした。

また、中国にも皇帝の下には貴族がいたので、隋の時代は科挙合格者が就けたポストは、各地方の官吏が主でしたし、試験は最初から「公平」が建前でしたが、当初は有力高官への働きかけの方が重要だったと言われています。宋の時代にかなり公平になりましたが、元になると支配者層のモンゴル人や彼らと友好関係にあった色目人（西域に住む少数民族）が合格しやすかったのだとか。

とは言え異民族が支配した征服王朝も科挙を廃止しなかったのは、「科挙」に大きな意義があった証拠です。支配者からすれば優秀な部下が欲しいのは当然ですし、科挙を残しておけば、支配されている漢民族の中でも、優秀な人は王朝を倒すことより科挙に合格することに労力をかけるのではないかと推測したからかもしれません。いずれにしても、元だけでなく他の征服王朝も科挙を廃止しませんでした。

●清を滅ぼした科挙

ただし、試験に意味がないと、その試験で選抜された人も「有能」ではなくなります。故米長邦雄は「うちの兄貴達はバカだから東大に行った。私は天才だから棋士になった」と発言したそうですが、東大入試や司法試験、国家公務員総合職の採用試験などエリート選抜を「将棋」にしていたら、日本は今よりも速やかにダメな国になったでしょう。試験は難しければ良いとは限らないのです。清時代の科挙がそうでした。ヨーロッパで産業革命が起き、それに成功した国々が世界中を侵略しだしたのですから、国の役人達に必要な能力は、「軍事（＝富国強兵）」や「産業革命（＝殖産興業）」を成功させるための科学ではないでしょうか。

実は日本でも、平安時代に科挙の考え方が導入され、中央政府は「課試《かし》」と呼ばれる試験を実施しました。ただ、「課試」は導入当初の隋と同様、試験に合格しても国の中枢には届かなかったため、受験者の多くは下級貴族（大学・国学の出身者及び国司の推薦者）で、彼らが合格したら中級貴族になれる程度の制度で終わってしまいました。

中国と違い神話とつながる皇族が延々と続いた日本では、試験に合格する能力よりも、娘を皇族の嫁にする能力の方がはるかに大切だったのです。ここだけを切り取ると、中国の長所＝日本の短所に見えますが、「科挙」へのこだわりが、清が近代化に遅れた理由であり、逆に言えば課試の失敗が、日本が近代化に成功した理由と考えます。

試験による能力判定の長所が「公平性」だとすれば、短所は能力を判定する科目の「硬直性」にあります。難関とされる試験に合格した人からすれば、自分と同じ試験で人の能力を測りたくなる気持ちは分かりますが、時代とともに要求される能力は変化するのです。

その意味で入学試験に漢文・古文を要求する日本の大学は、清の科挙と同じ過ちをしている気がします。

●「反日」から「親日」に変身できる漢民族

ここまで「漢民族を敵にしない」を納得していただくために彼らの優秀さを述べてきました。漢民族が中心になって造る国は中華人民共和国だけではありません。台湾（中華民国）もシンガポールも圧倒的多数を占める民族は漢民族です。

今では信じられませんが、台湾もシンガポールも敗戦当初は反日国でした。

台湾（台湾島と澎湖《ほうこ》諸島）は１８９５年に日本と清の間で締結した下関条約によって清から日本に割譲された地域です。しかし、台湾に住む清の役人と中国系移民の一部が下関条約に反発して台湾民主国を名乗り独立宣言しました。欧米諸国の支援を期待した人達もいましたが、ロシア、ドイツ、フランスは彼らの「三国干渉」に従う日本にすでに満足していたし、イギリスも対ロシア戦略で日本を味方につけたかったので「台湾民主国」はヨーロッパ諸国の承認を得られませんでした。

だからと言って独立宣言を取り下げる訳もなく日本と「台湾民主国」は軍事衝突します。その結果、台湾に住む漢民族からは軍民合わせて約１万４０００人もの死者が出たと伝えられています（民間人も軍事活動をしたので、これは第二次世界大戦で米軍が行ったような戦争犯罪ではありません）。対する日本軍の戦死者は164名でした（それとは別に病死者4642名）。当時の日本と台湾の軍事力には圧倒的な格差があったのです。それでも漢民族は、武装した抗日運動を続けたのでした。

敗戦後、台湾は日本でなくなり、大陸で共産党との内戦に敗れた中華民国が台湾を支配します。その時には次のような反日学校教育が行われていました。

「日本人はとても残虐な民族だよ。台湾を植民統治していた頃は、台湾人をたくさん殺した。霧社事件という事件があって、日本人の圧政に反抗した台湾人はみんな殺されたんだ」

「日本人がよくやっていた遊びがあった。皆さんよりも小さい子ども、まだ歩けない赤ちゃんをたくさん捕まえて、宙に放り上げるんだ。そして赤ちゃんが落ちてくる時に銃剣で――つまり鋭い刀をつけた銃で、刺し殺すんだ。そうやって、誰が一番上手に、一番多くの赤ちゃんを殺すことができるのか、競い合って遊んでたのよ」（Nippon.com「日本人は銃剣で子どもを殺していたのよ――『「反日」と「親日」のはざま』薄木秀夫著／東洋経済新報社より）

前の世代がこんな教育を受けていた台湾（中華民国）の人達が、今では親日派が多い。皆さんは信じられるでしょうか。原爆や都市空襲といった戦争犯罪でアメリカに多数殺されても親米派が多い日本人と同類と思わないでください。日本人はアメリカの行った戦争犯罪を「犯罪」と教えていないだけです。合法的な戦争行為であるかのごとく教え、こうなったのは当時の日本軍のせいだと学校教育で教えているのです。日本人の親米意識は洗脳に過ぎません（反日教育も洗脳教育ですが）。

台湾（中華民国）国民の有する親日意識と日本人が有する親米意識は次元が違うのです。私は彼らが持つ親日意識は次の要因から構成されていると考えます。

1　中国史における虐殺と比較して、台湾支配時の日本軍の行為は大した虐殺ではない。
2　権力が振りまく情報（学校教育）はウソや誇張だらけなので安易に信じてはいけない。
3　同一民族の支配よりも異民族による支配の方がマシだったことは中国本国の歴史上も珍しくない。

●反日教育を止めたシンガポール

第二次世界大戦において、日本は早々（1942年2月15日）とシンガポールに滞在するイギリス軍を降伏させてその地を占領しました。当時からシンガポール島には多くの中国系住民が住んでいたので、中国本土と戦争中だった日本軍は、多くの中国人（華僑）をスパイ容疑で逮捕し、処刑しました。これを「シンガポール華僑粛清事件」と呼びます。それゆえ、シンガポールの反日感情は台湾よりも激しいモノで、学校でも反日教育が行われました。

スパイがいたのは事実なので、不当に殺された人数は不明ですが、シンガポール華僑粛清事件が起きたのは事実です。敗戦後、行われたイギリス軍シンガポール裁判で検察側は、2000名前後の不当な殺害があったと主張し、弁護側も多数を殺害した事実関係は争いませんでした。

シンガポールでは、今でも小中学校でシンガポール華僑粛清事件を歴史的事実として教えています。しかし、高校レベルになると当時の世界情勢を教える中で、なぜ日本が戦争へと進んだのかを考えさせ、もし自分がその時の日本の首相だったらどうするかを尋ね、いかにすれば戦争を避け、さらに国を守るにはどうすべきかを考えさせる教育を行っているそうです。大の大人が無条件に「反省している」日本は、シンガポールを見習うべきです。今やシンガポールの教育は、反日どころか朝日新聞やＮＨＫよりも親日的と評価すべきでしょう。

してもいない日本からの「独立戦争」を学校で教え、なにかあれば「反日」となるコリアンとは雲泥の差です。

●心優しい（？）漢民族

「日本国民」として共に戦った事実を韓国のように全否定しない台湾。不当な処刑による華僑粛清を事実として受け止めた上で「当時の日本はどう行動すれば良かったか」を学校教育で考えさせるシンガポール。こうした日本に優しい態度を示す両国は、ともに漢民族が圧倒的多数を占める国です。

漢民族の意外（申し訳ありません）な優しさは、旧満州から引き揚げてきた人からもよく語られます。映画『男はつらいよ』などを手がけた山田洋次氏もその一人でした。山田氏は２歳の時に旧満州に移住し敗戦を迎えます。敗戦までの満州の日本人たちは大抵威張っていて、中国人に暴力を振るうことも珍しくありませんでした。彼は「子ども心に『ああかわいそう。あんなことしなくてもいいのに』と」思っていましたが、日本の敗戦で、中学生だった山田氏は「復讐の恐怖」を覚悟したそうです。しかし、中国人からの復讐は一切なかったそうです。

これは山田氏一人の経験ですが、中国人は満州から引き揚げる日本人に対し、自分達が日本人からされていたような暴力を振るわなかった。これに対し旧ソ連の兵隊は乱暴で、突然家の中に入り、鉄砲で山田氏の家族を脅かして着物などを盗んだとのことでした。

ちなみに当時の満州の建国理念は、日本人・漢人・朝鮮人・満州人・蒙古人による五族協和と王道楽土でしたが、人口は漢民族が一番多かったようです。

●中国の反日教育に協力した日本政府

歴史的事実を反日教育に利用しなくなった台湾やシンガポールと違い、なぜ、中華人民共和国は反日教育を続けるのでしょうか。正しくは「続ける」のではありません、中華人民共和国は、ソ連の崩壊や東ヨーロッパの共産党政権の崩壊が自国に起きないようにと、愛国教育に「反日教育を利用し始めた」のです。１９９３年に中国国家主席に就任した江沢民は、「愛国主義教育実施要項」を制定しました。

共産主義国家の恐ろしいところは、「愛国主義」「愛国政治」などが科目になり、それで良い成績を取らないと高校進学や大学進学に不利になる点です。その結果、共産党が発信する「南京大虐殺」「三光作戦」「731部隊」など事実不明の歴史を全て真実として記憶することが、中国社会でエリートへの第一歩になってしまったのでした。反日洗脳は、学校教育だけでなくテレビ、ラジオ、ニュースや書籍などあらゆる情報を使って行われています。

20世紀末の中華人民共和国は、今ほど豊かではなく、日本からの経済的支援が不可欠の国でした。日本政府がまともだったら、直ちに「経済支援の停止や減額」を脅し道具にして、方向転換を要求していたはずです。

江沢民が「愛国主義教育実施要項」を制定して反日教育を開始した1993年は、天皇陛下（今の上皇陛下）が訪中した翌年です。1989年の天安門事件（共産党による国民虐殺）により世界から相手にされなくなった中華人民共和国が、天皇訪中をきっかけにして世界市場に戻ることができた。その恩を仇で返したのが中華人民共和国であり、それに対し何一つ文句を言わないのが日本政府なのです。

中国共産党は不愉快ですが、独裁政権は独裁崩壊を止めるのは当然です。ソ連や東ヨーロッパの崩壊が起きた20世紀末は、中国共産党にとって自分の命をかけて戦う状況だったのですから。これに対し、政治利用してはならない天皇陛下を利用して中国に恩を売り、それを仇で返されても文句一つ言わなかったのが日本政府でした。彼らを売国奴と呼ばずして誰が売国奴でしょう。

●「医者」というだけで金持ちになれない国

漢民族は敵にすべきではありませんが、中華人民共和国は仮想敵国であり基本的には「敵」です。そんな中華人民共和国にも見習うべきところはあります。何よりも正しいのは、職業により貧富が決まらないところです。日本のような「医者」＝「金持ち」社会ではありません。中国人の平均年収は「１１０万～１３０万円」と言われていますが、医師の平均年収は１９０万円前後（亜州リサーチ中国株情報より）です。極めて真っ当な報酬です。

これに対し、日本では失われた30年で国民の平均年収はどんどん下がり、今では４１４万円（「ＤＯＤＡ」２０２３／12／4より）になりました。これに対し、医師の平均年収は、その間も上昇し今では１０２８万円と約２・５倍という圧倒的高給を誇っています（「キャリアガーデン」より）。

当たり前ですが、どんな業界にも有能な人もいれば無能な人もいます。その意味で、特定業界に入るだけで一生「小金持ち」が保証されるような業界はあってはならないと考えます。日本は（今のところ？）医者になれば、経済的優遇が約束されています（昭和時代は歯医者、弁護士、公認会計士も同様でしたし、戦前は薬剤師や税理士も、その職業に就くだけで小金持ちが約束されていたそうです）。

なんて、「ぬるい」業界なのでしょう。令和時代は「ぬるい」業界は医者だけになったので、医学部は異常に偏差値が高くなりましたが、かつては他にも「ぬるい」業界があったため、医者の世界は今ほど「入りにくい」業界ではありませんでした。それを反映しているのが、次に示す三十数年前（１９９１年）の私立大学医学部の偏差値（駿台）です。

岩手医科大学医学部	49・7
獨協医科大学医学部	45・2
埼玉医科大学医学部	44・3
北里大学医学部	47・1
杏林大学医学部	45・9

慶應大学医学部	72・5
昭和大学医学部	54・9
順天堂大学医学部	53・7
帝京大学医学部	52・5
東京医科大学医学部	54・3
東海大学医学部	51・2
東邦大学医学部	51・2
東京慈恵会医科大学医学部	55・8
東京女子医科大学医学部	52・0
日本医科大学医学部	59・1
日本大学医学部	52・7

ちなみに当時の慶應工学部と早稲田理工学部の偏差値（駿台）は、共に60・0でした。

両校よりも難易度が高い私立の医学部は慶應大学医学部だけです。

私立大学医学部の授業料が圧倒的に高いのは今も同じです。かつては、医者になるより理工系の研究者になりたいと考える優秀な生徒が大勢いました。しかし、理工系大学院を出て研究者になっても、企業内平等のせいで文系学部卒と同レベルの給料しかもらえない。その結果、優秀な理系の人は医学部に集中し、国民の健康に寄与しても国のGDP発展に寄与しない。日本は、そんな社会になってしまいました。

優秀な人だけが生き残れる業界こそがまともな業界です。幸か不幸か、今では大企業に入ってもリストラリスクはあるし、有能な弁護士、公認会計士、歯科医師には高給が保証されますが、無能な同業者には薄給が待っています。これこそがまともな業界です。

全ての業界に正当な競争が待っていてこそ、優秀な若者が公平に自分の好きな分野での成功を目指す社会になるはずです。その意味では、日本よりも中国の方がまともな社会かもしれません。

ちなみに、中国では介護業界で成功すれば、医者の平均値以上の給与がもらえます。これに対して日本では介護分野で高給をもらえることはほぼ不可能です。本気の「左」＝「経済的弱者の味方」＆「経済的平等を目指す」なら、今こそ（そこだけでも）「中国を見習え」と主張すべきではないでしょうか。

●漢民族を見習おう

ここまで見てきたように漢民族は優秀な民族です。公共の場では大声でしゃべるし、中国本国では道に唾を吐く人も多く、日本人から見ればまだまだ「下品」なところが沢山ありますが、それは彼らの本国が豊かになったばかりだからです。日本の中華街の人たちが下品ではないように、あと数十年経てば、そして上手く共産党独裁が崩壊すれば、彼らは善き隣人になってくれるのではないか。そう期待したいところです（強国になりすぎる恐ろしさはありますが）。

最後に彼らに学ぶべきところを挙げます。

1　血縁主義の強さを知る

日本で千年以上血縁が続いているのは皇室など極少数であり、各王朝の皇帝の子孫が庶民として生き続ける漢民族のような民族にはなれません。彼らの強烈な血縁意識が、百年単位という視点での国際政治を可能にしているのです。欧米諸国よりも遥かに軍事的に弱かった時代、欧米諸国に土地をよこせと脅された中国は、香港やマニラを百年貸すことで逃げ切りました。

でも日本には皇室があります。

百年後の自分達の子孫がどうなるかは不明でも、未来の皇室を意識して政治をするならば、漢民族のように百年単位の視点で外交ができるはずです。それができないとしたら「皇室が大切」と言う政治家達はただのウソつきです。

２　全ての民族は地球の中心

漢民族は中華思想を持ちます。これに否定的な評価をする人が多いようですが、地図ではなく地球儀を見れば、あらゆる土地が地球の中心になれると分かります。「土地はずっと平ら」と思っていた時代、多くの民族は、自分達は世界の中心に住んでいると考えていましたし、それは間違いではなかったのです。

日本人は、欧米人と話すときに自らを極東と言ったりしますが、それこそ欧米人の視点で世界を見ている証拠です。欧米人と話す際には、ヨーロッパを極西、アメリカ大陸を極東と呼ぶ。それで彼らに「？」と思わせて初めて、彼らの日常的な視点も中華思想と同レベルであると自覚させられるのです。

自分達が住む土地を中心に発想する。これは「地政学」の第一歩です。まぁ「地政学」

そのものを学問扱いしない人達が日本の多数派ですが。

3　全分野に格差社会を造ろう

漢民族の学力がなぜ、他民族よりも圧倒的に高いのか。素質もゼロではないと思いますが、日本人よりも遥かに高学力なのは社会の違いが原因です。漢民族の社会は、どんな業界も勝ち続けなければ生きていけないので、物心ついた時から「努力」が当たり前です。しかし、会社や業界にも「家意識」がある日本では、大企業や特定の業界に入ってしまえば、その中の「下」でも豊かな生活ができる「ぬるい」社会でした。そんな社会で全ての階級に「努力」を要求するのは困難です。

漢民族が持つ「血統意識」と、日本人が持つ「家意識」は似て非なるモノです。企業内や業界内の格差を少なくするのは、それぞれに「家意識」があるからです。日本全体への「家意識」は、戦前の軍事的強さを生みましたが、今では各企業や各業界の中で、有能な人には一層の「努力」を要求するのに、無能な人には「甘え」を許す根拠になってしまいました。

漢民族のように「血統意識」を持ちながら一族同士で争うのは不可能ですが、もはや社会のガンになった「家意識」を捨て、あらゆる業界内、あらゆる企業内で一生競争が続く社会を造ることこそ、失われた30年から蘇る一助になるのではないでしょうか。

４　金にシビアになろう

台湾、香港、中華人民共和国などで使われている新年のあいさつに
新年快樂（あけましておめでとう）、萬事如意（すべてうまくいきますように）、恭喜發財（お金儲けができますように）、紅包拿来（お年玉頂戴）
という言葉があります。

これを知ると「中国人はお金に汚い」と言う人がいますが、ユダヤ人同様、大衆レベルで「金は汚い」と洗脳されていないことも漢民族の強さです。江戸時代には「士農工商」と儒教由来の（実態と異なる）職業差別意識を持ち、令和になっても職業間、業界間、企業間の給料格差は大きいのに、内輪だけの「平等」を善とする日本人と、どんな業界からでも金儲けで成り上がろうとする漢民族。後者だけが「金に汚い」のでしょうか。

各人がどんな金銭感覚を持っても自由ですし、個人的には男性の年収にこだわらない女性が好きですが（笑）、国家間や企業間の取引では、金にシビアな彼らの姿勢は見習うべ

きだと思います。

本章では、漢民族の優秀さと怖さをご理解いただけたのではないでしょうか。

漢民族と聞くと「反日」をイメージする方も多いと思いますが、私は、敗戦直後の台湾国民やシンガポール国民の反日感情は自然だけれど、今の中華人民共和国国民の反日感情は共産党により人工的に造られたモノだと考えています。また、「反日」思想が金にならないとなれば、あっさりと捨てるのが漢民族です。

彼らと違い、千年も「反日」的態度を続けると主張するのはコリアンです。

中華人民共和国は仮想「敵国」ですが、漢民族は敵にすべき民族ではありません。この逆、韓国は仮想敵国ではないけれど、民族は敵と認識すべきなのがコリアンです。彼らとは付き合わないのが一番です。

しかし、そんなコリアンにも「見習うべき」ところはあります。次章ではそれを考えてみましょう。

第5章　スネ夫国家「韓国」との付き合い方

●偉人の声を聴け

コリアンとどう付き合うかについては、偉人の言葉に耳を傾けるべきです。

伊藤博文「嘘つき朝鮮人とは関わるな」
吉田松陰「朝鮮人の意識改革は不可能」
福沢諭吉「救いようのない民族」

普通、こういった発言には逆の主張があるものですが、偉人でこれと逆の主張をする人を私は知りません。

なぜ、彼らと関わるべきではないのか？　彼らは韓国民や朝鮮民主主義人民共和国民といった「国民」レベルではなく、朝鮮民族全体で日本民族を蔑視し恨んでいるからです。

●コリアン文化は「恨」文化

朝鮮民族の文化は「恨《はん》」の文化です。これは偏見ではなく、元韓国大統領の金大中《キムデジュン》が、著書『平和と民主主義にすべてを賭けて――政治哲学と対話集』のなかで述べた言葉です。

彼はこれに続けて

「『恨』は挫折を味わった民族の希望、『恨』は挫折を味わった民族の夢を実現するための準備なのだと思います。確かに私たちは、歴史のなかで『恨』とともに生きてきたことは事実です。」

と述べています。

正直、コリアンとは距離を取るのが一番と考えますが、それでも我々はコリアン（韓国人、北朝鮮人、中華人民共和国の朝鮮民族）が我々を恨む気持ちは理解しておくべきです。

彼らが日本を恨む本質は「徴用工」や「慰安婦」ではありません。徴用工は単なる安い給料で働かされた労働者で、戦時中の日本には普通にいました。当然ですが日本人も徴用工として働いています。慰安婦も同じです。日本人女性の中にも慰安婦は大勢いました。彼女らは戦時中に親に売られた売春婦なので、慰安婦になった女性が本来恨むべきは政府でも民族でもなく自分の親です。

しかし、儒教が独自発展したコリアンにとって、自分を育ててくれた親を怨むのは日本人以上に心苦しい。また親もコリアン儒教に縛られているので、我が子に土下座して「貧しい家を助けてくれ」と言えず、子どもを「看護婦」などと騙して「慰安婦」にした家庭が多かったのです。その結果「恨」の行き先が日本政府や、日本人しかなかったのです。

●中国が父で日本は弟？

また、コリアンには「父がチャイニーズ、兄がコリアン、弟が日本人」という民族意識があり、これが儒教と結びつくことで、日韓併合で世話になった日本への「恨」が発生します。日本人からすればいい迷惑ですが、中国との朝貢貿易で生き抜いてきた朝鮮半島の歴史を考えれば、彼らがそのような民族意識を持つのも仕方ありません。

日韓併合は彼らの視点では「経済的（国家の場合は加えて軍事的）に危機に瀕した時に弟に同居を強要された兄」のようなものなのです。

日本人の立場からすれば、日本本土で徴収した税を使って公共投資し、コリアンに義務教育して識字率を上げ、大学まで造ってやったのに恨むとは何事だと思いますが、「破産しそうな兄一家が、弟から自分達と同居するように強く言われ、弟が兄の部屋の家具を買い、兄の子（弟の甥や姪）の学費まで出した」らどうなるでしょう。

兄＞弟の価値観がなければ、弟の行為を感謝するかもしれません。少なくとも恨みを持たないでしょう。しかし、韓国儒教では年齢の上下意識（兄＞弟）が強烈にあるので、弟から援助を受けておきながら「自分達の家具は弟の家具より安かった」「弟は自分の子どもには私立大学でも良いと言ってたくせに、こちらの子どもには国立大学しかダメと縛りを付けた」と恨みを抱きかねないでしょう。

日本人が左翼系マスコミに騙されず、「李氏朝鮮時代よりも日韓併合後のコリアンの生活は遥かに豊かになった」「日韓併合でコリアンの識字率が上がった」「今のソウル大学を造ったのは明治政府であり主な経費は日本人が収めた税金」「コリアンも日韓併合で『日本人』になったので本土で政治家になれた」等々の事実を知れば、日韓併合は欧米諸国の植民地運営とは全く違うモノだと認識するし、ウソをつき続ける左派メディアや韓国人が許せなくなるはずです。

でもだからこそ、コリアンが日本を憎まざるを得なくなる「恨の文化」と「コリアン的儒教精神」を理解しておく必要があるのです。

また、日本の政治家の多くが韓国批判をしないのもコリアンの儒教精神が一要因です。政治家にモラルがあれば、韓国の不当な日本批判に怒るはずですが、そんな政治家はほんの一握りです。政治家の中には本人がコリアンの人や親や祖父がコリアンという人もいますし、母国を悪く言いたくないかもしれません。これも儒教精神の表れです。また、社会的地位の高い人や高齢者が韓国に行くと必要以上に丁寧に扱われるのも儒教文化の表れです。外国に行った時に嫌な思いをすればその国が嫌いになるし、良い扱いを受ければその国が好きになる。当然の感情です。韓国では日本以上に政治家の社会的地位が高いため、韓国に行った政治家は極めて丁寧な対応を受けます。

その結果、韓国の不当な批判に反論するまともな政治家が超少数派になってしまったのです。

●慰安所・慰安婦の異常性

慰安婦で大騒ぎするのはコリアンだけなので、情報源の少ない人には、戦前の政府がコリアンに行った民族差別と誤解している人がいますが、慰安婦問題は民族差別ではありません。慰安婦になったのは当時の日本人ですから、その中には今の日本人もいれば、今の台湾人も韓国人も北朝鮮人もいました。当たり前です。

また、売春の対象が軍人ですから第二次世界大戦時に生まれたと誤解している人もいますが、これも全く異なります。慰安所は平時にも存在した軍人相手の売春宿です。主な客を軍人とする売春宿は、どの国にも存在しました。軍人はストレスの溜まる仕事であり、若い男性の割合が高いので、あり余る性欲を発散する需要があるのを人々は歴史的に知っているからです。

では、戦前の政府下で造られた慰安所やそこで働く慰安婦に異常性はないのでしょうか。私は、日本の慰安所は極めて日本的な、その意味で世界標準から見ればむしろ逆の意味で「異常な」売春宿だったと考えます。その異常性は以下の通りです。

①　慰安所の公認

軍人が多数いる基地付近に売春婦が登場するのも、軍人が占領した地域の女性をレイプするのも古代からの常識です。それゆえ、他国は売春宿を公認する必要などなく黙認すれば良かったのです。実際、敗戦後の日本でも基地付近に売春婦は誕生したし、米兵によるレイプも日常的に起きました（今でも毎年起きています）。しかし、日本軍は性病予防や軍人によるレイプ予防のために民間業者に売春宿を造るよう指導・要請し公認したのでした。

②　軍の移動と並行して慰安所も移動

多くの民族は、戦争で他民族を支配すると「そこの女を抱ける」と喜びます。それゆえ、黙認した慰安所を連れて行く必要などありません。実際、第二次世界大戦で日本が後退すると、連合国の軍人たちは喜んで日本人女性が残る慰安所を使用しました。

しかし、日本軍人の多くは、軍事的に成功し、欧米諸国の植民地や中国の支配に成功しても「現地の女性を抱く」ことに喜びを感じなかったようです。しかし、若い男性が多数派だったので、日本人（コリアンと台湾人を含む）女性を連れて進軍する必要があったのです。

国際標準とズレた「慰安所」「慰安婦」をコリアンが批判する行為は、軍人が現地の売春宿に通う行為やレイプを黙認してきた他諸国にとっても「美味しい」話です。なぜなら、彼らがどれだけ酷い民族かが明らかにならないばかりか、（彼らからすれば）無駄にモラルの高かった日本軍人を批判できるからです。

●日本が起こした戦争で分断された朝鮮民族

「徴用工」や「慰安婦」を不当に主張するコリアンの不愉快さが理解できたでしょうか。

ただ、私は日韓で議論されている議題とは全く別の視点で、コリアンが日本人を恨むのは当然だと考えています。

コリアンが日本を恨む正当な理由は、植民地支配でもなければ、慰安婦でも最近になって騒ぎ出した徴用工でもありません。韓国は日本の一部になったのであって植民地になったのではありません（もっとも関係性が近いのはイギリス内の北ウェールズです）。日本の一部になったのは侵略戦争の結果でもありません。これらは全てウソです。元ソウル大学教授の李《イ》栄薫《ヨンフン》氏ら６人の専門家が、日本による植民地支配や慰安婦問題、徴用工問題などを歴史的研究に基づいて論証した本『反日種族主義』『反日種族主義との闘争』（ともに文藝春秋刊）により、これらのウソを韓国人自身が明らかにしました。

それでもコリアンが日本人や日本政府を恨むのは当然です。なぜなら、彼らは日本人として第二次世界大戦を戦い、日本人の一民族として戦争に敗れ、その結果、日本の本土はそのままで自分達のふるさとである朝鮮半島が、「韓国」「北朝鮮」に二分割されたからです（「中華人民共和国の自治州」を入れると三分割ですが）。

日清戦争に日本が勝ったことで、それまで清国の属国だった朝鮮は、日本の保護国になり、その後、両国は合意して朝鮮半島は日本の一部になりました（日韓併合）。そして、日本人として行動した結果、自分達だけが故郷を分断された。

自分の立場になって考えてみましょう。今、日本は事実上、アメリカの保護国（奴隷国）です。しかし、日米の幹部が「いっそ一つの国になった方が良いんじゃない？」と合意して、日本がアメリカの一州になったとします。もちろん、「白人」からは何かと差別されます。不愉快に感じながらも頑張ろうと思っていたら、アメリカとＢＲＩＣｓ（ブラジル、ロシア、インド、中国、南アフリカ）連合が戦争になってアメリカが敗れ、無条件降伏ととれる○○宣言を受け入れてしまった。戦争にはもちろん日本人もアメリカ国民の一民族として参加しました。ところが、ＢＲＩＣｓが出した結論は、アメリカ大陸はそのまま認めてやる代わりに、日本は分割する。北海道、東北地方、北陸、首都圏は中華人民共和国の属国、中京圏、近畿圏、中国地方、四国、九州、沖縄はインドの属国になりました。その後「中国系日本人国」と、「インド系日本人国」で戦争が起こり、アメリカは戦争の経済効果で経済復活したのだとか。

いかがでしょう。こんな目に遭ってアメリカを恨まない日本人などいるでしょうか。コリアンが日本政府や日本人を恨むのは正当な感情です。

でも、米軍に守られている韓国は、連合国による不当な戦後処理という真っ当な「恨み」を主張できない。アメリカに気を使って国民を騙し続けているという意味で韓国政府も日本政府と同レベルのダメな政府なのです。

●偽の「恨」を操る日韓両国

本来コリアンが持つべき「恨」の対象が明らかになると、なぜGHQが日本国内で朝鮮人も勝者同様に批判を禁じたかが分かるはずです。

第一にコリアンの「恨」の対象を日本だけにしたかったからです。米ソの合意により朝鮮半島は分断されたけれど、韓国を属国にし続けるためにはアメリカは彼らの「恨」の対象になることだけは避けたかった。終戦後2～30年までは、欧米諸国にも「共産主義国が広がる」と信じる人がいたのですから、アメリカにとって共産主義国北朝鮮と接する韓国は守備線でした。

もちろんアジア基地の中心になった属国日本の国民にも恨まれたくなかった。原爆や東京大空襲で数十万人（数百万人？）の一般人を殺した戦争犯罪の恨みをかわすために、最も簡単な方法は恨みをアメリカ以外の国や民族に向けることです。

国や民族が、複数の被支配者を持つとき、被支配者同士が罵り合えば、支配する側からすればこれほど「美味しい」状況はありません。そのためにGHQが真っ先に（ポツダム宣言を受諾した約2週間後）したのがプレスコードによる洗脳であり、アメリカ合衆国、ソ連邦、イギリス、中華民国とならんで朝鮮人を戦勝国民扱いしたのは、日本人と朝鮮人が憎み合う意図としか思えません。

プレスコードに基づき日本人を監視し洗脳する先兵になったのは、当時の日本政府でした。政府が監視対象としたのは、「朝日新聞」「毎日新聞」「読売新聞」「日経新聞」「東京新聞」及びラジオ放送各局だけでなく、大手出版社、地方紙、学術論文、文学作品、手紙、電話などほぼ全ての媒体でした。

日本に住む一般人の手紙や私信が、月４００万通も開封され検閲され、電信や電話も盗聴された。それが戦争直後の日本だったのです。

●「日本への因縁」は韓国政府の仕事

ＧＨＱ支配から独立して70年以上の歳月が経つ今でも、日本の政府やメディアでは韓国批判がタブーです。北朝鮮による拉致が明らかになるまでは、北朝鮮批判もタブーでした。逆に、韓国人は反日運動が大好きなので、韓国政府にとって日本に因縁をつけるのは大切な仕事です。でも、日本から経済的援助を受けるのも彼らの仕事でした。一見矛盾する両者のバランスを取ることが、韓国政府の運営の難しいところです。

現在の尹錫悦《ユンソンニョル》大統領は、今のところ親日派を装っていますが信じてはいけません。

韓国にとって日韓通貨スワップ協定は極めて重要だからです。韓国大統領は日本政府に親し気な態度を取り、その再開に成功しました。円よりも遥かに国際的信用の低いウォンとの通貨スワップ協定は、日本に何のメリットもありませんが、中華人民共和国の不動産バブル崩壊の余波により韓国経済が危機に陥る可能性は高く、１９９７年、２００８～２００９年に続く三度目のウォン危機が起きるかもしれません。だからと言って、親日的な態度を取られただけで、２０１５年に安倍政権が凍結した通貨スワップを再開すべきではなかったのです。

今の韓国が中華人民共和国と距離を取って、福島第一原発の処理水（トリチウム水）を海洋放出する日本政府への批判をしない点は評価できます。トリチウム水は、三重水素（トリチウム）を含む水のことで、トリチウム2分子・酸素1分子と構成が普通の水と同じなので除去は極めて困難です。そのため、原子力発電所は日常的にトリチウムを海に放出しています。これを見ると福島原発事故のトリチウム放出にだけ止めろと主張する近隣諸国のクレームが因縁と分かりますし、他国のデータを提供する「産経新聞」と日本のデータだけを出して日本人を洗脳するＮＨＫの態度に違いも分かるはずです（図表10、11）。

しかし、当然のように現大統領の非「反日」的な態度を野党やメディアが非難していま

図表10　世界の主な原子力関連施設のトリチウムの液体放出量（年間）

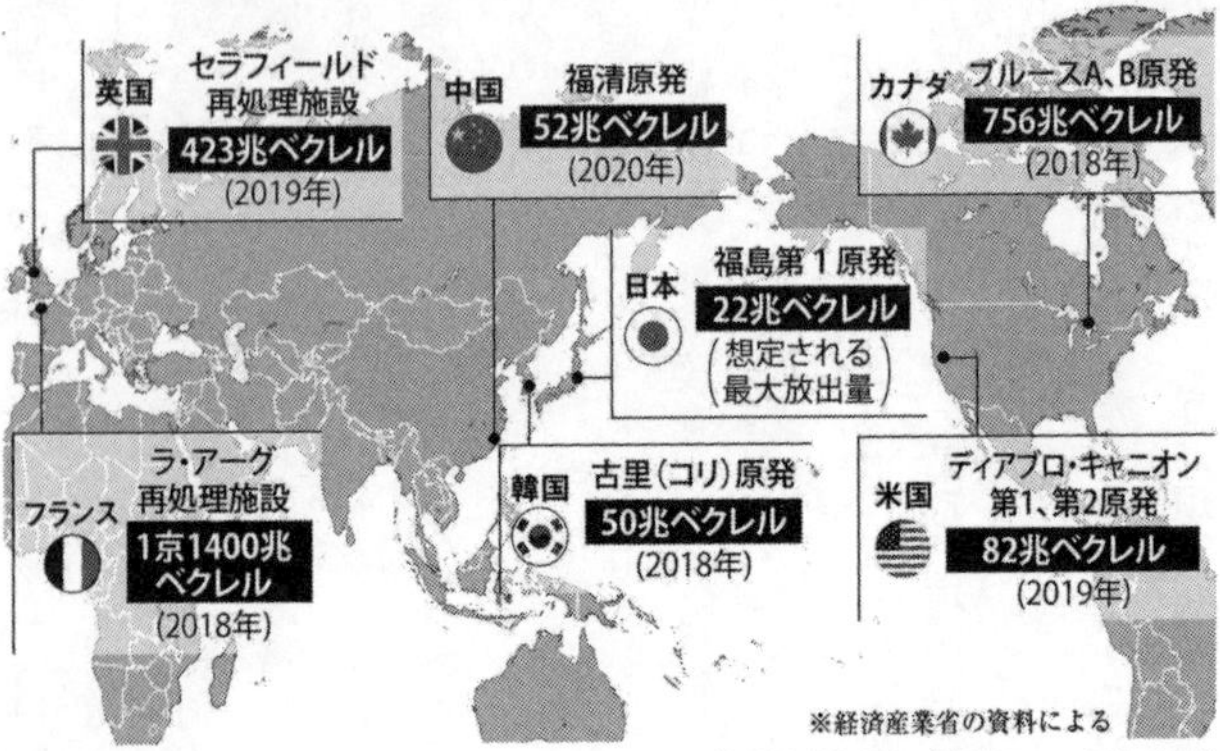

(2021/05/09、「産経ニュース」より)

すから、韓国政府の態度がいつ変わるかは不明です。

韓国に本当の親日派政権ができるとすれば、「我が国は建国以来、韓国は独立戦争により成立したというウソをついてきました」と国民相手に大統領が白状した時だけです。

●スネ夫国家「韓国」

民族全体で日本人を憎んでいるのに、本当の親日派政権など生まれるはずがないのです。

しかし、そんな嫌な彼らにも「国民」としても「民族」としても見習うべき点はあります。

何よりも「今どの国が一番強いか」「どの国の子分になれば国益上メリットがあるか」を常に観察する姿勢です。徹底したその態度は、

図表11　原子力施設のトリチウム年間放出量

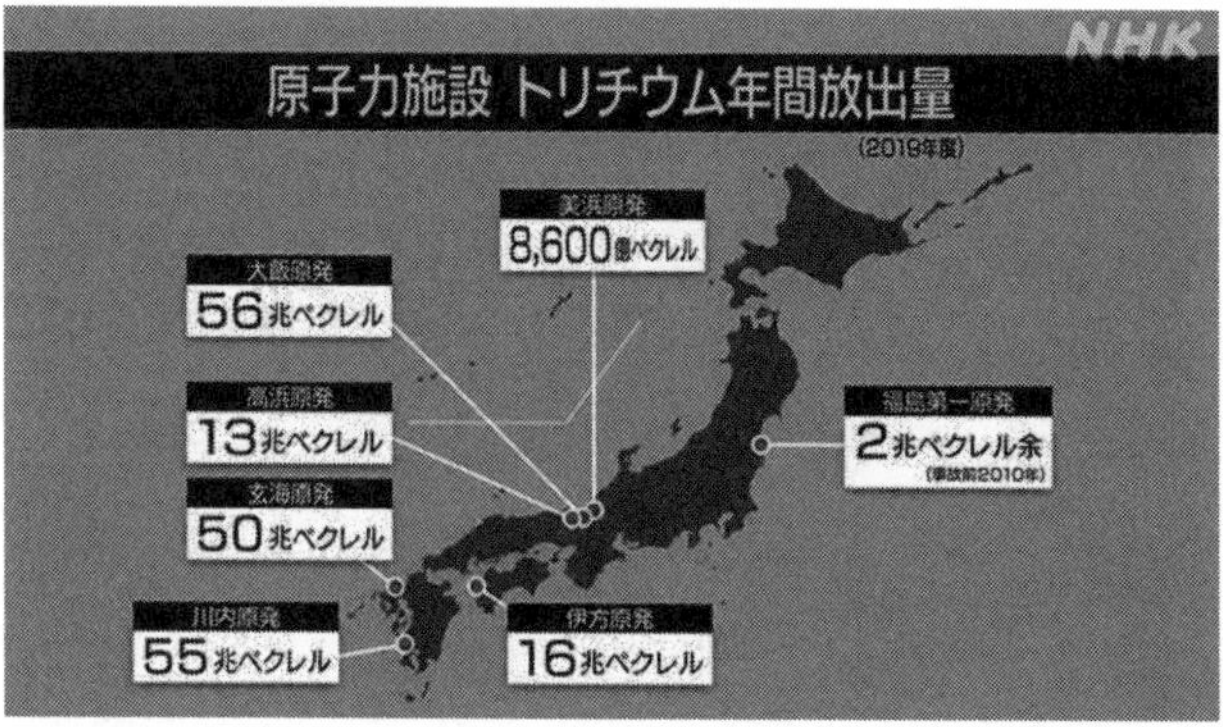

(NHKより)

「ドラえもん」での骨川スネ夫のようです。

戦前の日本、最大のミスは対米戦争でした。確かに当時のドイツは強かったけれども、人口、国土内の資源、ＧＤＰ等々を考慮すれば何より敵にすべきでなかったのはアメリカだったはずです。韓国は、当時は日本の一部でしたからアメリカと戦争せざるを得ませんでしたが、韓国が一つの政府だったら、決して勝ち目のない戦争はしなかったでしょう。

朝鮮半島の歴代政権が戦争で負けることはありましたが、日本の対米戦争のように勝ち目のない戦いに自分から挑むなんて愚かな行為をした政権はありませんでした。その意味で、歴代の朝鮮半島の政権は、少なくとも１９４１年の日本政府よりはクレバーと言えるでしょう。

私は、「いつかはアメリカに原爆の復讐をすべき」という思いを日本人は抱き続けるべきだと考えますが、それは、江戸時代の長州が幕府に取った態度のように、こっそりと「いつかは」と思い続けることが大切なのであって、表面上は最強国アメリカと仲良くすべきだと考えています。しかし、日本人の多数派は「表裏がない」態度こそが正しいとする（国際政治の世界では）残念な価値観を有しています。個人ならば、そういう人を尊敬しますし私自身もそうあろうと心がけていますが、個人と国家は違います。

●スネ夫は状況により態度を改める

その点、韓国も朝鮮民族も素晴らしい。見事なくらい「表裏」だらけです。分かりやすいのが日本への態度で、普段は反日的態度で自国民にゴマをすりながら、韓国通貨が弱くなると急に親日的になります。置かれた事情ですぐに態度を変える見事なまでに「スネ夫」っぽい人達です。

スネ夫は基本的にケンカの強いジャイアンの子分ですが、内心ではジャイアンをも見下しています。

「やい、ジャイアン！　はっきりいうけど、ぼくはおまえが大きらいなんだ」

「あのばかやろう、まぬけのウスノロの、よくばりの、トーヘンボク」

「おまえなんか町の公害だぞ！」

これらは全て『ドラえもん』に登場するスネ夫のジャイアンに対する本音だったのでしょう。

「わがままでいやしくて、よくばりでらんぼうで下品で最低の男」

こちらは、人の思考を読むことができる『さとりヘルメット』を手にしたジャイアンが読み取ったスネ夫の本音でした。

長い歴史の中で常に強い国家の「一の子分」を目指してきた韓国ですが、実際は末端の子分にしかなれないので、彼らの中には複雑な思いがあるはずです。戦前の日本は、李氏朝鮮を子分どころか併合してしまいました（これもまた大日本帝国の大きなミスと考えます）。また、中国の子分が定位置だったのに、戦後、自分達が工業化に成功すると中華人民共和国を見下していました。

数十年後か数百年後かは分かりませんが、アメリカが最強国で無くなった時、コリアンのアメリカに対する態度は今の日本に対する態度のようになっていることでしょう。

彼らを１００％見習えとは思いませんが、政治家はともかく庶民だけでも米国に対し

「この戦争犯罪者め」「偉そうにしやがって」「いつか見返してやる」と思い続ける、これが世界標準では正しい民族の「心の持ちよう」だと考えます。

●スネ夫は自慢が大好き

自慢好きな点もコリアンとスネ夫はそっくりです。

「K－防疫（対コロナ防疫）をはじめ、大韓民国の地位が非常に高くなり、今ではほぼ世界トップ10の水準だ」

「全ての分野でトップ10と認められるほど、国家の地位が高まったというのが成果といえる」

「ワクチン接種は少し遅れて始まったが、今は世界で最も高い水準だ」

「どの国よりも韓国がコロナをもっと模範的に克服できると確信する」

これは、2021年11月に韓国の文在寅《ムンジェイン》大統領がKBSの「国民との対話」に出演した際の発言です。テーマは「コロナ防疫」「民生経済」「ポストコロナの課題」に制限されたそうですが、さらっと「全ての分野でトップ10と認められるほど、国家の地位が高まった」と言うところが、流石は韓国の大統領。これも、個人としては「嫌な奴」ですが、謙虚すぎる政治家よりは立派な態度です。

ちなみに２０２３年現在、コリアンの心中では、日本は全ての点で「抜いた」存在なので金を無心する時以外は、いつもバカにしています。韓国にとっての日本は、スネ夫にとっての「のび太」なのです。

参考までにスネ夫が自慢したセリフを「ドラえもん」からいくつか挙げておきます。

しずか：スネ夫さんのご先祖って、さむらいだったの？
スネ夫：強かったんだぞ。とのさまのあぶないところをすくったんだ。それいらい、うちはずうっと家老をつとめてきた。（1巻「ご先祖さまがんばれ」より）

スネ夫：（鯉にえさをやりながら）どう、よくなれているでしょう。ぼくがくんれんしたんだ。さかなもなれると、かわいいよ。きみたちもかってみな。あっ！　ごめんごめん。わるいことといって。このへんで、にわに池があるのは、うちだけだった。
（7巻「空とぶさかな」より）

しずか：（サインを見て）いま人気絶頂のタレント！
スネ夫：パパがテレビ局のおえら方と友だちだったから、手に入ったんだ。きみたちもほしいだろうけど、ま、みるだけでがまんしな。（25巻「四次元ポケットにスペアがあったのだ」より）

地位、経済力、メディアとのコネ。いかにも自慢したくなりそうなネタですね。

●中国はジャイアンで日本はのび太？

ただし、スネ夫は決して人に金をねだりません。その意味で韓国をスネ夫と評するのは、評価が高すぎるという意見もありますが、「韓国＝スネ夫」を最初に言い出したのは、私の記憶ではｚａｋｚａｋ（夕刊フジ）に記された上海の大学教授（大学名及び名前は不明）でした。日本に留学経験のあった彼は、韓国＝スネ夫にとどまらず、「主人公ののび太を日本とすればガキ大将のジャイアンはさしずめ中国。ジャイアンの手下としてのび太に嫌がらせするスネ夫は韓国」さらに「しずかちゃんは台湾で、ドラえもんは米国だろうか。ジャイアンは虎視眈々《たんたん》としずかちゃんを狙っているから、のび太とドラえもんにがんばってもらわないとね」と笑った、そうだ（ｚａｋｚａｋ　２０１５／６／29【国際情勢分析】中国はジャイアン、韓国はスネ夫…「ドラえもん」登場人物に重なる国際情勢 より）。

この発言にこそ、漢民族の「有能さ」と「恐ろしさ」が詰まっています。

まず、自国をある意味悪者の「ジャイアン」に例える民族を私は漢民族以外に知りません。戦争で最も多くの人々を殺したのは中国ではなくアメリカです（国内虐殺では毛沢東が最大の可能性はありますが）。にもかかわらず、自分達をジャイアンに例えて、アメリカをドラえもんに例える。これは、日本人の多くが「アメリカに正義あり」と洗脳されていると理解しているからです（日本に留学して知ったのでしょう）。

２０１５年段階では、中華人民共和国はＰＩＳＡに参加していませんが、すでに大多数の国民が漢民族であるシンガポールが全分野で1位を獲得していました。コリアンなら自分達を「出木杉君（成績も性格も良い子ども）」に例えたはずです。しかし、そんな発言をしても日本のマスメディアに受けない。それらを全部理解した上で、自分達を低学力で暴力的なジャイアンに例えたのでしょう。

そして最後に中国が取る気満々の台湾を「しずかちゃん」に例えたのですから…。前章で述べたとおり「共産党独裁国家＝中華人民共和国は仮想敵国だが」「漢民族を敵にすべきではない」のです。

残念なのは、そんな中国人さえ日本をドラえもんがいないと何一つできないのび太に例えた点でした。

●デタラメな「選択的夫婦別姓」議論

中国の大学教授が見事に言い当ててくれたのに、ｚａｋｚａｋ（夕刊フジ）以外のメジャーなメディアで、この例えを聞いたことがありません。まぁ「他国にこのような失礼な表現をしません」というメディアの建前は分かりますが、だったらテレビ放送で「日本は世界の恥」と叫んだ人を、何民族であろうが使い続けるメディアには良心がないのでしょうか。

なぜ、こんなことが起きるのか。根底にはＧＨＱに押し付けられた『プレスコード』「朝鮮人を批判するな」を全面的に見直そうとしない戦後七十数年にあるのでしょうが、それとは別にマスコミに就職する者はコリアンだらけというのが大きな理由と考えます。これを実感したのが、「選択的夫婦別姓」を巡る議論でした。

選択的夫婦別姓を巡る議論は、右も左も全てがデタラメです。

最もデタラメなのが、「妻が夫と同じ姓を名乗るのが伝統だ」的な主張をする一部の保守派の人達です。そもそも江戸時代には公家と武士以外、原則として苗字さえ名乗ることが許されなかったのですから、日本にそんな伝統はありません。明治国家が１８７０年（明治3年）に平民苗字許容令で平民が苗字を名乗ることを許し、次に１８７５年（明治8年）に平民苗字必称義務令を出して、全国民に苗字を名乗ることを命じたのです。つまり、9割の日本人にとって、苗字は明治になって初めて得たモノなのです。

普段、日本は紀元2千6百何年などと言うなら、たかだか明治8年からの歴史を伝統と呼ばないでほしい（日本の歴史を紀元節で語ること自体が明治時代以降ですが）。ちなみに全国民に苗字使用を強制したのは、翌年１８７６年1月に始まる徴兵令において必要だったからと考えられます。

これを知ると次に、「でも、１８７５年から全国民が苗字を使うようになったのなら、１５０年近い歴史があるのだから、やはり夫婦同姓は守るべきでは」という意見が出てきそうですが、これも違います。１８７５年に誕生した制度では、女性の苗字が変わらないのが原則で、彼女が苗字を変えるのは夫が亡くなり長男が未成年など、彼女が家長にならざるを得ない時だけでした。明治国家が夫婦で同じ苗字を名乗ることを強制するようになったのは、1898年（明治31年）に明治民法の家族法部分が公布・施行され、法的に夫婦同氏が規定されて以降に過ぎないのです。

第746条
戸主及ヒ家族ハ其家ノ氏ヲ称ス
第788条
1．妻ハ婚姻ニ因リテ夫ノ家ニ入ル
2．入夫及ヒ婿養子ハ妻ノ家ニ入ル

●日韓で異なる「姓」の意味

では、左翼が主張する「選択的夫婦別姓」が正しいのでしょうか。こちらも全くのデタラメです。

そもそも彼らが「夫婦別姓」と叫んでいる間は、絶対にこれを認めるべきではありません。なぜなら、苗字を「姓」と呼ぶ風潮自体が韓国（及び中国）の文化だからです。私は、マスコミはもちろん政治家も元の国籍は朝鮮や韓国（父母や祖父母を含む）だらけで、この問題を「夫婦別姓」と叫ぶことは、その証拠だと考えています。

日本の苗字は「姓」ではなく「氏」です。これは日本が近代国家になって以降統一された呼び方で、それ以前は人の呼び名には「氏」「姓」「苗字」など様々なモノが付きました。

例えば織田信長の正式名は「平《たいらの》　朝臣《あそん》織田《おだ》上総介《かずさのすけ》三郎《さぶろう》信長《のぶなが》」と言います。最初の「平《たいらの》」が天皇からもらった「氏」で最も正式な呼び名であり、天皇の前で名を呼ばれる時はここから始まります。続く「朝臣（あそん）」は姓《かばね》で、氏族の序列を表すものです。上から、「真人《まびと》」「朝臣《あそん》」「宿禰《すくね》」「忌寸《いみき》」「道師《みちのし》」「臣《おみ》」「連《むらじ》」「稲置《いなぎ》」の８種類がありますが、戦国時代の大物は大抵「源」か「平」を名乗っていたので「朝臣」とつくのが普通のようです。

続く「織田」がいわゆる苗字で普段使われる呼び名でした。「上総介」は官職です。上総は今の千葉県あたりで、そこを支配するトップは「上総守」だったのですが、これは親王しかなれない地位でした。そこで信長はＮｏ．２の「上総介」を名乗ったのです。信長はこのころから、天皇を仰ぎつつ日本を支配するつもりだったのかもしれません。「三郎」は子どものころに親達から呼ばれる「仮名《かな》」で、最後の「信長」が「諱《いみな》」と言う本当の名前です。

ただし、日本には諱《いみな》を呼ぶ呪術があったので、テレビドラマのように「諱」を呼ぶ風習はなかったそうです。

この長々しい正式名のどれを呼ぶかが状況によって異なるのでは、近代社会では不便で仕方ありません。そこで、明治政府は「氏」「姓」「苗字」を一本化し、名も「仮名」と「諱」を一本化するよう国民に要求したのでした。1870年から苗字を語ることを許された庶民も、その前から「氏」「姓」「苗字」を語ることが許されている階級の人達も全員が一本化することを要求され、「氏」「姓」「苗字」のどこから持ってこようが苗字を「氏」と呼ぶと法律で定まったのです。

日本人の名称は「氏名」であって「姓名」ではありません。皆さんが役所に提出する正式文書には必ず名前を記載する欄に「氏名」と書かれているはずです。

また法務省の「我が国における氏の制度の変遷」というホームページには

徳川時代：一般に、農民・町民には苗字＝氏の使用は許されず。

明治3年9月19日太政官布告：平民に氏の使用が許される。

明治8年2月13日太政官布告：氏の使用が義務化される。

明治9年3月17日太政官指令：妻の氏は「所生ノ氏」（＝実家の氏）を用いることとされ

る（夫婦別氏制）。
明治31年民法（旧法）成立：夫婦は、家を同じくすることにより、同じ氏を称することとされる（夫婦同氏制）。
昭和22年改正民法成立：夫婦は、婚姻の際に定めるところに従い、夫又は妻の氏を称することとされる（夫婦同氏制）。

と正しい呼び方で氏の制度の変遷が記載されています。

●夫婦別姓しか認めない中国と韓国

いつものように左翼や「意識高い系」の人達は、「夫婦別姓」を認める方が進んでいると思っているようですが真逆です。日本の「氏の制度の変遷」を見ても分かるとおり、夫婦別氏（中韓の夫婦別姓）は「結婚しても嫁は余所《よそ》の家（血統）の女」という、夫婦同氏（夫婦同姓）以上に古い制度です。

一族が姓や氏を名乗るのは古代中国の夏《か》あたりから始まったようですが、当初、姓は貴族のみが持っており、周辺の属国に与えられた官位が氏でした。庶民は姓も氏も持てませんでした。その後、秦による中国統一前後に姓と氏が同じモノになり庶民にも認められて今日に至ります。中国人は日本人や韓国人以上に姓を重要視しますが、女性は結婚してもあくまで家系の「よそ者」なので、相手の姓は名乗れません。

夫婦別姓を輸入したままの形で使用しているのが韓国であり、輸入した「姓」だけでなく「氏」「苗字」など自国の文化と融合して使っていたのが日本です。とはいえ、長くて不便な正式名を「氏」に一本化したのが明治国家であり、その後、当時の欧米諸国の真似をして夫婦同氏に変更したのでした。

ちなみに自国の伝統を誇りにする中国も「夫婦別姓」ですが、共産主義を建前とする中華人民共和国は夫婦別姓の根拠を伝統的な「血統意識」から「男女平等」に変更しました。つまり、男女平等だからこそ女性も自分の姓名を一生使用する権利がある、としたのです。当初、中国は「一人っ子政策」だったので、子どもは伝統通り夫の姓を名乗ることで問題は起きませんでしたが、2016年から子どもは2人まで認める、いわゆる「2人っ子政策」に変換した結果、きょうだいで姓が異なる事態が社会問題化しています。

「同じ父母から生まれたきょうだいなのに、父親が違うのではないかと勘違いされて、学校でいじめられる」「1人目が女の子で父親の姓を名乗ったが、2人目に男の子が生まれたので、母親の姓にしようとした。すると、父親側の親族一同から猛反対に遭ってしまい、大問題となった」「母親が離婚し、再婚後に２人目が生まれたのだろうと、勝手に誤解されてしまう」「きょうだいや家族の連帯感が生まれにくい」といった問題です。（Ｙａｈｏｏニュース「夫婦別姓、子どもは父親の姓を名乗ることが多い中国で、今起きている『想定外』２０２１／６／23の現象」より」

ただし、結婚して氏が変わっても、元の氏を使って良い分野が増えることには大賛成です。どこまで通名を使用できるかについては、様々な意見があると考えますが、本当の氏を使用しなければならないのはパスポート名くらいと考えます。銀行口座だって国につけられた番号（年金番号、健康保険番号、マイナンバーなど）で口座を作るようにすれば、氏が変わっても問題ありません。

日本の「氏名」「姓名」に関する最大の問題は、通名で日本人になりすますことができるのです。本当に議論すべきは、これを機に「婚姻で氏が変わった時以外、基本的に通名の使用を禁ず」というルールの制定ではないでしょうか。まぁ、そんな意見がマスコミや政治家から出るとは思いませんが。

●新「氏」創設の公認こそが少子化対策になる

　ということで、今、話題になっている「選択的夫婦別姓」については、いわゆる「改革」に耳を傾けるべきではありませんが、中長期的には夫婦同氏に加えて、婚姻に伴い新しく「氏」を創設することも認めるべきと考えます。

　江戸時代の苗字の種類は3万種ほどしかなかったのですが、現在の日本人の苗字は12万種あるといわれています。増加した9万種の苗字のほとんどは、明治期に創出されたものでした。これこそ、我々の祖先が百数十年前に行った偉業の一つです。中国の「姓」は500種程度、韓国の「姓」は280種程度と言われており、ここからも日本の「氏」と中韓の「姓」は異なる文化だと分かるはずです。

　明治になって、江戸時代に苗字を許されなかった庶民が、階層の高い人の苗字を真似るのではなく、各家庭が望む苗字を創作して名乗ることができたのです。庄屋や僧侶に苗字をつけてもらう庶民も大勢いましたし、村民が全員同じ苗字を名乗るなんて村も現れましたが、江戸、京都、大阪などでは独創的な苗字を考えて名乗る人も現れました。

　私が新しい「氏」の創設を認めるべきと考えるのは、それが婚姻増加の一助になるからです。

少子化対策は最大の政治課題であり、可能な政策はすべからく試すべきです。「選択的夫婦別姓」に唯一価値があるとすれば、夫（又は妻）の苗字になることが嫌で、結婚を躊《ちゅう》躇《ちょ》する人の背中を押すことです。夫婦別氏（姓）は夫婦同氏（姓）以上に古い意識が背景にあり、子どもへの悪影響などマイナス効果が大きいので反対ですが、夫婦同氏（姓）で、かつ新「氏」創設ありならば、これらの問題が全て解決します。

これが認められれば、夫（または妻）の苗字になりたくない人も、毒親に育てられて親と縁を切りたい人も、古臭い「家」意識から逃れたい人も、全員が結婚を躊躇するどころか、喜んで結婚する人が増えるはずです。

少子化対策は、究極「男女カップルの増加」と「カップルが作る子どもの増加」しかありません。

前者はさらに、①「結婚へのハードルを下げる」、②「結婚しないカップルを社会が積極的に受け入れる」、③「異性愛を拒否する男男カップルや女女カップルの増加を防ぐ」に分類でき、後者は①「多数子どもを作った方が経済的に有利になる」、②「多数子どもを作った方が社会的・生物学的に有利になる」に分類できるでしょう。婚姻に伴う新「氏」創設の公認は①の効果絶大と考えます。

これを認めると、反社系の人が過去を消すために利用するという主張もあるでしょうが、国民をナンバーで管理できる社会になれば、その心配はなくなるはずです。また、結婚して夫の氏になるだけで「嫁をもらった」とか、妻の氏になるだけで「婿をもらった」と妄想する高齢者の「家」意識を潰すのにも新「氏」創設は役立つはずです（「家」制度はＧＨＱに潰されて70年以上が経っています）。

●豊臣秀吉の呼び方を教えない日本史

現代日本人が「氏」の重要性を認識できない一因は、その歴史を教えないからです。天皇からいただいた「氏」と自分達が勝手に名乗る「苗字」は、かつては読み方が違いました。

藤原不比等（ふじわらのふひと）、橘諸兄（たちばなのもろえ）、平清盛（たいらのきよもり）、源頼朝（みなもとのよりとも）のように「氏」は読み方に「の」を加えてから「名」に続きます。これに対し「苗字」は織田信長（おだのぶなが）、徳川家康（とくがわいえやす）のように、後に直接「名」が続きます。

本当かどうかはともかく、織田信長は平氏につながり、徳川家康は源氏につながると主張していたので、彼らも天皇の前では「たいらの〜」「みなもとの〜」と名乗っていたはずです。

日本史で彼らの正式名称まで教える必要はありませんが、少なくとも「豊臣秀吉」は「とよとみのひでよし」と教えるべきではないでしょうか。中学生や高校生なら誰もが世間で「とよとみひでよし」と呼ばれていることを知っているでしょうから、「とよとみの」と教えるだけで、日本に、かつて貴重な「氏」があったと知るきっかけになるはずです。

どうして「源氏」「平家」「藤原」「橘」は「〜の」と教えるくせに、「豊臣」は「とよとみの」と教えないのか？　私は日本史研究者達が、「源平藤橘《げんぺいとうきつ》」の末裔達から嫌われたくないからと推測しています。彼らは敗戦まで華族として力を持っていたし、今も表には出ない「言い伝え」を沢山有しています。その中にはウソもあるかもしれませんが、歴史学上の大きな発見につながる真実もあるはずです。

左翼系学者でも彼らに敵視はされたくないはずですが、「豊臣家」の子孫はいない。だから「豊臣秀吉」を「とよとみひでよし」と呼んでも日本史を研究する学会を恨む人はいない。それが、彼らが「豊臣家」だけを偽りの名で教科書に記す理由ではないでしょうか。

ここまで見てきたようにコリアンの多くは日本人を恨み続けると思います。コリアンが日本人を恨む気持ちは100％不当とは思いませんが、だからと言って不当に謝罪すべきではありませんし、一切の経済支援も不要です。

「可能な限り（遠く）距離を取る」

これこそが、自分達を恨み続ける民族との付き合い方です。それでも米ソ冷戦期には、日韓はアメリカ側の属国同士、仲良くする必要がありましたが、米ソ冷戦がなくなった今、日韓が仲良くする必要は皆無です。

中高年のコリアンの多くは日本政府と日本人を敵視するでしょうが、我々はそれに対抗すべきではありません。親しいのか親しくないのか分からないけれど何かと因縁をつけてくる人、というのはクラスメイトにも近所の人にもいたのではないでしょうか。そんな人との賢明な付き合い方は、ただ一つ。

「可能な限り（遠く）距離を取る」です。

もちろん、これは国家間、及び民族間の付き合い方であって、個人が韓国ドラマのファンになるのも、韓国俳優に「推し活」するもの自由です。そんな人を見て「残念な人」と思うのも自由なように。

可能な限り付き合うべきではありませんが、そんなコリアンにも以下のように見習うべきところはあります。

1　千年か否かはともかく原爆の恨みは忘れるな

8月になるたびに日本人のバカさ加減に嫌気を覚えます。日本人は、アメリカという戦争犯罪国の被害者であり、被害者が忘れてはならないのは加害者への恨みです。「許すが忘れない」という悟りに達するならば尊敬しますが、自分達が被害者であることさえ忘れて毎夏反省している日本人は、その点については幼稚園以下です。

オバマ大統領が広島に来て謝るという偽情報が流れた時、それまで「原爆ざまーみろ」と言っていた韓国人は「広島には私達もいたんだ。私達にも謝れ」と叫びました。そこまで厚かましくなるのは、日本人には無理ですが、少しは彼らの「恨みを忘れない」姿勢を見習うべきです。数十年後、数百年後にアメリカに復讐できるか否かは別にして、復讐心だって再発展の動機になるのですから。韓国の経済発展の何%かは、日本人への復讐心だったはずです。

2 「国民」と「民族」は違うと意識しよう

韓国の仁憲《インホン》高校では、反日行為の強要が日常的に行われていて、「日本は敵、北朝鮮は友！」と教師が叫んでいるそうです（「文藝春秋」２０２０年1月号より）。国家・国民という視点からは、間違った教育ですし、これを黙認する韓国政府にも腹が立ちますが（日本政府も同レベルです）、日本が始めた第二次世界大戦により分断された民族の教育としては、理解できない訳でもありません。

彼らは、国民と民族が異なる現実を日々痛感しています。民族分断を経験していない、その点では極めて幸せな日本人も、せめて頭では意識しておくべきだと思います。

ここまで見てきたように日本人は他国民、他民族と比較すると行きすぎた「お人よし」です。失われた30年から脱却するためには、少しは「嫌な奴」になるべきだと考えて本書を書きました。そこで最終章では、「お人よし」じゃない住民が大勢いる「大阪人」について考察してみたいと思います。

第6章　「大阪人」が国際標準です

●日本一犯罪の多い街「大阪」

日本は世界の中でも有数の「治安の良い国」として知られています。犯罪が多い南米諸国やアフリカ諸国はもちろん、欧米諸国やアジア諸国と比較しても、この評価は決して間違いではありません。しかし、そんな日本の中にも犯罪が多発する地域はあります。

その中で最も巨大なエリアは大阪の通称「釜ヶ崎」地区です。ここ以外にも東京の山谷地区、神奈川県の横浜寿町など犯罪が多い貧困地域はゼロではありませんが、大阪が他の都道府県と異なるのは、府全体に漂う「軽い犯罪なら許容する」空気です。

大阪府の犯罪率の高さは、治安に関心の高い人には常識です。令和3年（1月1日から同年12月31日まで）の住民基本台帳人口によると東京都の人口は13，277，052人、大阪府の人口は8，800，753人でした。このように大阪府は東京都の3分の2未満の人口しかいないのですが、最高刑が死刑になる殺人や放火では日本一多発する地域です（警察庁が発表した令和4年のデータ：確定値によれば、殺人認知件数が東京都91件、大阪府127件、放火が東京都62件、大阪府130件）。

警察庁が発表した「犯罪認知件数」の総数を総務省が推計した令和3年の都道府県別人口で割り出した数値（下3桁を切る）によると図表12のとおりです。この数値は、人口千人の中で何件くらい警察が動くような犯罪を行っているかを示しています。

表の数値は日本一低い秋田県と岩手県（2・1件／1000人）から2番目に犯罪が頻発する兵庫県（5・52件／1000人）まで数値が並んでいますが、6件台を飛び越して7・12件／1000人と他の都道府県を大きく引き離して犯罪が多発するのが大阪府です。

そんな大阪府ですが「万引き」だけは少ないという説もあります（10年以上前ですが、この説を裏付けるデータもあります）。この説をあなたは信じますか？

「大阪は『万引き』が起きない街だ」と考える人は、私の知る限り一人もいません。では

図表12　都道府県の犯罪件数

	総務省　令和3年推計人口	犯罪総数 警察庁 令和3年確定値	犯罪発生数(下3桁を切る)
北海道	5,183,000	18,429	3.56
青森	1,221,000	3,067	2.51
岩手	1,196,000	2,507	2.10
宮城	2,290,000	9,398	4.10
秋田	945,000	1,984	2.10
山形	1,055,000	3,053	2.89
福島	1,812,000	6,627	3.66
茨城	2,852,000	14,277	5.01
栃木	1,921,000	9,027	4.70
群馬	1,927,000	9,079	4.71
埼玉	7,340,000	40,166	5.47
千葉	6,275,000	32,638	5.20
東京	14,010,000	75,288	5.37
神奈川	9,236,000	33,252	3.60
新潟	2,177,000	7,746	3.56
富山	1,025,000	4,546	4.44
石川	1,125,000	3,409	3.03
福井	760,000	2,714	3.57
山梨	805,000	2,748	3.41
長野	2,033,000	5,959	2.93
岐阜	1,961,000	9,479	4.83
静岡	3,608,000	14,440	4.00
愛知	7,517,000	37,832	5.03
三重	1,756,000	7,410	4.22
滋賀	1,411,000	5,814	4.12
京都	2,561,000	10,483	4.09
大阪	8,806,000	62,690	7.12
兵庫	5,432,000	30,003	5.52
奈良	1,315,000	5,148	3.91
和歌山	914,000	3,310	3.62
鳥取	549,000	1,923	3.50
島根	665,000	1,849	2.78
岡山	1,876,000	7,535	4.02
広島	2,780,000	11,181	4.02
山口	1,328,000	3,871	2.91
徳島	712,000	2,362	3.32
香川	942,000	3,801	4.04
愛媛	1,321,000	5,804	4.39
高知	684,000	2,859	4.18
福岡	5,124,000	26,337	5.14
佐賀	806,000	2,821	3.50
長崎	1,297,000	3,155	2.43
熊本	1,728,000	5,187	3.00
大分	1,114,000	2,887	2.59
宮崎	1,061,000	3,535	3.33
鹿児島	1,576,000	4,641	2.94
沖縄	1,468,000	5,833	3.97

人口千人につき
（警察庁／総務省HPより　作成）

なぜ、こんな説が生まれるのでしょうか。

私は、犯罪が多数起きる大阪では、万引き程度では警察は動かず、それを見越してスーパーや商店街では「万引き」されても警察には届けないし、捕まっても「二度と万引きはするな」と警察官から怒られて終了するからだと考えます。私は大阪の街はどこか「万引きは誰でもがすること」という空気があったからです。

●大阪人が国際標準

このように言うと「お人よし」の日本人は「『万引きは誰もがすること』なんて考える人はいない。万引きのような経済犯罪は、貧しくてやむを得ずする人がいるだけだ」と思うかもしれません。

しかし、世界には「万引きは大なり小なり誰もが行うこと」「見つからなければ問題ない」と考える人は少なくないのです。それを証明してくれたのが警視庁（全国組織ではなく東京にある最大の地方警察）から依頼を受けた「東京万引き防止官民合同会議」が実施した『万引きに関する調査研究報告書　～外国人と日本人の意識の差に関する検討～　令和3年2月』でした。

対象国はアメリカ、イギリス、フィリピン、ベトナム、韓国、中国、日本で、過去5年以内に合計して7日以上の東京都内滞在を経験した外国人と、過去5年以内に海外渡航経験がある東京都在住の日本人を調査対象者としました。

これによると「万引きは大なり小なり誰もがやっていることだ」という質問に対して「そう思う」と答えた人は日本人には2％しかいませんでしたが、中国人5％、フィリピン人7％、韓国人8％、ベトナム人22％、イギリス人26％、アメリカ人36％が「そう思う」と回答したのです。

イギリス人やアメリカ人の数値の高さに驚いた人は、80年近く前に行われたGHQ洗脳から未だに解放されていない人です。私達が常識と考えるモラルが通用するのは日本人だけか、せいぜい近隣のアジア人が限界で、「白人」達の有するモラルはそれよりも遥かに低レベルなのです。「万引き」などの軽犯罪に限らず国際的問題を考えるときには、常に彼ら（欧米人）は我々（日本人orアジア人）とモラルのレベルが異なることを思考要素にしておくべきです。

また、ベトナム人が他のアジア人と比較して特に低い理由は、フランス植民地という「白人」からの影響に加え、今も共産主義下にあるからだと推測します。

ただし、この調査の「日本人」はあくまで東京に住む日本人なので（依頼者が警視庁ですから当然です）、同じ日本人でも大阪府警が同内容の調査をすると中国人や韓国人レベルになる可能性は否定できません。犯罪認知件数が飛びぬけて多いことを考慮すれば、大阪人では「万引きは大なり小なり誰もがやっていることだ」と考える人の割合が、他の地域よりも遥かに多い可能性があります。

また、アメリカやイギリスについてはアジア諸国と異なり、遠い日本に来るだけの経済力がある人に調査対象を絞ってこの数値ですから、本国を出たことのない人を調査対象にするとモラルの低さはアジア人をさらに引き離すと予想します。

●法律で犯罪者を守るアメリカ（カリフォルニア州）

アメリカ人は半分以上の人が「万引きは誰もがする行為だ」と考えている。その根拠は、「950ドル未満の万引きや窃盗は重罪に問わない」と決めた「Proposition 47」というアメリカ・カリフォルニア州の州法です。

この法律は2014年に住民投票により可決・成立しました。アメリカの多くの州は、犯罪（Crime）を「違反」（Infraction）、「軽犯罪」（Misdemeanor）、「重犯罪」（Felony）

の３つのカテゴリーに分類します。どれに分類されるかで罰則が異なり「違反」に対する罰則は注意や罰金、「軽犯罪」に対する罰則は注意、罰金、コミュニティサービス（社会奉仕命令）、または最大1年の懲役、そして「重犯罪」に対する罰則は1年以上の懲役から死刑です（アメリカは死刑のある州とない州がありますが、カリフォルニア州には死刑が存在します）。

「Proposition 47」は、これまで「重犯罪」とされていた万引き、窃盗、詐欺、紙幣偽造など多くの経済犯罪を９５０ドル（日本円で十数万円）に限り「軽犯罪」へと「再分類」してしまったのでした。

殺人者が死刑になる数は特別残虐な殺人だけであるように、犯罪は法が規定する最高罰には、なかなかなりません。これは中国を除く世界中の兆候です。カリフォルニア州も同様で、軽犯罪を実行してもほとんどは注意、罰金、コミュニティサービス（社会奉仕命令）のどれかで済みます。

ちなみにコミュニティサービス（社会奉仕命令）とは公共機関や非営利機関における労働を指しますが、欧米人には無償の労働は罰金以上の刑罰になるのです。刑務所以外の地域での無償労働を刑罰に位置付ける刑法などモラルの高い日本人には理解できませんが、アメリカだけでなく、イギリス、フランス、ドイツなどにも同様の罰があります。百数十年前まで「奴隷」を使っていた「白人」達は、我々日本人とは労働意識が異なるのです。捕まっても注意、罰金、無償労働で済むなら、気楽に犯罪をしてしまう。これが国際標準であり「万引きくらいでは警察が動かない」「万引き犯を捕まえても店主が注意するだけで警察に届けない」ことが多いと推測される大阪という街に住む人々ではないでしょうか。

●自転車が盗まれた大阪、財布が戻ってきた東京

「日本は財布を落としても戻ってくる国だ」

外国人が日本をこのように評価していると聞く人も多いのではないでしょうか。私も若い頃から、この話を聞いたことはありましたが、大阪で生まれ育った18歳までの昭和40年代は「都市伝説」だと思っていました。なぜなら、自分自身は落とした財布が戻るどころか、鍵をかけた自転車を三度も盗まれたからです（自転車で高校に通っていたので、毎日、自転車を使用していました）。

「日本で財布を落としても戻ってくる」が「都市伝説でない」と実感したのは、上京して

からでした。偶然ですが、財布を落として戻ってきたのも上京後四十数年間で「自転車泥棒被害」と同じく三度ありました。これらは単なる個人的な体験に過ぎません（最近は大阪でも無くした財布が戻る例はあるようです）。

大阪らしいと感じた直近の例は、知人が銀行の通帳を落としたら戻ってきたことです。銀行通帳の再発行には千円程度の料金がかかるので、拾って警察に届けた人には通帳1冊につき50円から２００円（5～20％）をもらえる権利が発生します。しかし、銀行通帳を拾った人は通帳記載額（〇〇万円）の５％から20％の謝礼をもらえると勘違いしたのでしょう。警察にしつこく知人の連絡先を教えるよう言ってきたそうです。

●大阪人こそ世界で戦える

間違ってもらいたくないのは、自分が生まれ育った街を貶したくて本書を書いているのではありません。日本人の長所にして最大の弱点は「お人よし」すぎる点です。工業化時代は、長所が上手く機能して、日本は早々と先進国の仲間入りをしました。

アメリカ人の長所である「大切な情報を隠して行う交渉力」、ヨーロッパ人の上手い「詐欺ギリギリの情報操作で付けるブランド力」なども豊かになるには大切ですが、それがなくても工業化社会では商品が圧倒的に高性能で安ければ売れたし、利益も出ました。

しかし、情報化社会ではアメリカ的交渉力もヨーロッパ的ブランド力もない「人の善さ」が、弱点としてだけ機能しています。そんな時に欧米人や中国人、韓国人達と堂々と交渉し、時には詐欺ギリギリの情報操作を行う。日本人の中で、それができるのは大阪人だけだと、私は故郷を高く評価しているのです。

●大阪で発明、発案されたモノ

とは言え、大阪人も欧米人や中国人ほどではありません。大阪で活躍した法人・個人の中には、誕生した土地がアメリカか、せめて中国だったら巨大企業や大富豪になっていただろうと思える法人・個人がたくさん存在します。でも、大阪が日本の一部だったせいで、素晴らしい発明・発案も「社会や人に褒められ」たり、スタートを先に切った優位性だけでおしまいでした。

具体的に以下は、全て大阪から生まれたモノです。

世界経済の大前提になっている「先物取引」は、江戸時代の大阪から始まった取引であり、それを見た欧米人達が真似をしたのです。

世界を動かす経済取引手法が大阪初なら、世界中の人々の暮らし方を大きく変えた「レトルト」も大阪初でした。1968年に大阪に本社がある大塚食品工業（現・大塚食品）が開発・販売し、今も人気の「ボンカレー」が世界初のレトルト食品でした。「3分温めるだけですぐ食べられる」というキャッチフレーズを今も覚えている人は、いるのではないでしょうか。同じ飲食業界ではありますが、世界の人々の暮らしを便利にした大塚食品と、世界の人々を糖尿病患者にし続けるコカ・コーラ。どちらが大儲けしているかは、言うまでもありません。

レトルト食品と並んで世界の人々の食生活を変えたのがインスタントラーメンです。これは「日清食品」が1958年に発売された「チキンラーメン」が世界初ですが、日清食品も大阪発祥の企業でした。日本のインスタントラーメンは今も世界中で販売されていますが、韓国系のインスタントラーメンも負けず劣らずよく売れています。もしも、立場が逆だったら韓国で「インスタントラーメンは俺達が元祖だ」「真似をした日本の食品なんて食べるな」という不買運動が起きていたことでしょう。

外食産業の在り様を変えたのも大阪です。日本はもちろん、世界でも人気になりつつある回転寿司。この起源は、東大阪市の近鉄布施駅前の「廻る元禄寿司」でした。大勢の客の注文を受けて出す寿司を効率的に提供するため工場のベルトコンベアをヒントにスタートしたのが回転寿司です。

一時期、外食産業の入り口に必ずあった食品サンプルも、それを商品として売り出したのは大阪市に設立された「食品模型岩崎製作所」でした。大恐慌中の１９３２年に事業化し成功したのですから、逆行に負けない商人魂の見本です。

と、ここまで飲食に関するモノだけを紹介しましたが、もちろんそれだけではありません。世界中で利用され、そのまま英語になった「ＫＡＲＡＯＫＥ」も日本人が発明したものので、そのカラオケのビジネス化に成功したのは大阪市出身の井上大佑氏でした（発明した人が誰かについては争いがあります）。

事務仕事に不可欠なカッターナイフも昭和31年にオルファ株式会社の創業者・岡田良男氏が発案した物です。オルファ株式会社は、今でもカッターナイフについては世界のトップメーカーですが、アメリカ企業ならば自分達は働かずに特許だけで大儲けしていたことでしょう。

好き嫌いが分かれますが、日本に観光旅行に来た外国人が驚くのが「カプセルホテル」です。治安が良い日本ゆえの宿泊施設なので日本以外で流行するとは思えませんが、大阪市の中心街、梅田で１９７９年に開業した「カプセルホテル・イン大阪」（ニュージャパン観光）が、世界初だそうです。これは、日本の中では飛びぬけて治安の悪い大阪も、世界水準からは極めて治安の良い地域である証拠です。図表13を見れば日本の殺人発生率の少なさはある意味で「異常」だと分かるはずです。

図表13 世界の殺人事件発生率

順位	国名	2021年殺人発生率件/10万人
1	ジャマイカ	52.13
4	南アフリカ	33.96
40	アメリカ	6.81
41	ロシア	6.8
66	ウクライナ	3.84
88	カナダ	2.09
103	イギリス	1.15
104	フランス	1.14
105	ギニアビサウ	1.12
106	スウェーデン	1.08
107	ベルギー	1.08
111	スロバキア	1.01
114	タジキスタン	0.9
117	ギリシア	0.85
118	ドイツ	0.83
137	イタリア	0.51
151	日本	0.23
155	バチカン	0

(global note より作成)

●偽物で平気で儲ける大阪人

Hotels.comという観光ガイド系のホームページ「大阪の人気観光スポットトップ10」によると、大阪の中で観光客に最も人気のある場所は大阪城だそうです。これを見て、如何にも大阪らしいと感心しました。令和になって皇居を江戸城と呼ぶ人はいませんが、今の皇居は150年前まで本当に将軍が住んでいた江戸城です。

これに対し、大阪で観光人気一番の大阪城（天守）は1931年（昭和6年）に「天守閣郷土歴史館」として竣工された鉄筋コンクリート造りのビルに過ぎません。その後、日本陸軍はビル付近に兵器工場を設置しました。そのせいで第二次世界大戦時には攻撃対象とされ、戦後の一時期はGHQに陸軍地は接収されるなど、昭和初期のビル及び元兵器工場としては大阪城とその付近は貴重な歴史を歩んできました。

ただし、場所は、豊臣秀吉が建てた本物の大阪城があった地ですから、地下には歴史的に貴重な資料が多数眠っていると思われます。でも、大阪人にはそんなことはどうでも良い話でした。GHQが去ったあと大阪城付近は長らく放置され、付近に集まるのは残された大量の鉄や銅を盗む在日朝鮮人達だけでした（当時彼らはアパッチ族と呼ばれました）。

そんな貧しく治安の悪かった戦後は1960年代から始まる高度経済成長で終了しますが、大阪人は大阪城跡地に興味を示しませんでした。学術的価値はあっても観光的価値のない、つまり「金にならないモノ」は多くの大阪人には価値がないのです。大阪市は1981年（昭和56年）に学術的・文化的価値を保存する運動や文化庁の調査指示があったにもかかわらず、その声を無視して陸軍兵器工場（大阪砲兵工廠《こうしょう》）を取り壊したのでした。

観光客にも値打ちが分かりやすい、なんなら豊臣秀吉が建てたと勘違いしてくれそうなビル（本城）は残しても学術的価値しかない兵器工場は不要なのです。大阪市は、その２年後の１９８３年（昭和58年）、「大阪築城４００年まつり」に合わせて、跡地に大阪城ホールを開館しました。大阪城ホールは今も多くの人を集めてお金を生み出しています。

いかにも大阪人らしいエピソードです。大阪を知らない人が聞くと
「他の日本人よりも中国人や韓国人に近いのでは？」

と勘違いするかもしれませんが、そうではありません。先ほど見たように大阪発で今も生きるモノは沢山ありますが、大阪人は韓国人のように「元祖」自慢をしません。今こそが勝負なのです。今こそ勝負という意味で、大阪人は歴史や伝統も自慢しません。その辺りは中国人とも真逆です。

●古都を自慢しない大阪

大阪人最大の長所は、「お金にならない」自慢はしないところなのです。

日本の都は言うまでもなく歴代の天皇が住まわれた街を指します。しかし、観光業界で

は、歴史上ただの一度も天皇が住んだ記録がないにもかかわらず「古都」を詐称する都市がいくつもあります。その代表は何といっても神奈川県鎌倉市でしょう。

２０２３年の観光ガイドにも「魅惑の古都・鎌倉を満喫できる！　オススメしたい観光スポット８選」なんてホームページがありました（https://skyticket.jp/guide/300688）。

ほかにも

「古都金沢で、レトロな建築物めぐり。大正ロマンの雰囲気漂うスポット10選」

「古都ひらいずみガイドの会」

「古都を散策　萩に柳井に長府～」

など、かつて繁栄したけれど今は田舎の地域を「古都」と呼ぶのが、観光業界では常識なのです。

対して、本当は「古都」なのに、それをウリにしない都市、その代表が大阪です。弥生時代後期から古墳時代にかけて応神天皇時代の都だった難波大隅宮《なにわのおおすみのみや》、仁徳天皇時代の難波高津宮《なにわのこうづのみや》、飛鳥時代に大化の改新が行われた難波長柄豊碕宮《なにわのながらのとよさきのみや》と大阪には日本の都になった時代が数回ありました。しかし、大阪を「古都」と知る人は日本史をしっかりと学んだ人だけです。

なぜ大阪人は「古都」とアピールしないのか。京都や奈良と異なり、歴史が古すぎる大阪の「都の跡地」には、学術的価値はあっても観光的価値がないからです。金になるモノはウソでも売るが、金にならないモノは真実でもアピールしない。これこそ大阪人根性です。

ちなみに、飛鳥時代に天智天皇が営んだ近江大津宮（現在の滋賀県大津市）、平家が強引に数ヵ月「都」とした福原京（現在の兵庫県神戸市）、日清戦争時に大本営地として明治天皇が住まわれた広島県広島市など大阪以外にも天皇が住まわれた真実をあまりウリにしない街は存在します。

●「能力主義」を養った江戸時代の大阪

今の日本人の気質は、二百数十年平和だった江戸時代が造ったとよく言われますし、私も基本的にはその考えに賛成です。江戸時代が気質を造ったのは日本人全体だけでなく、各都道府県や市区町村にも当てはまるのではないでしょうか。大阪は古都の時代もあったし、豊臣政権の約30年間は日本の政治の中心でしたが、江戸時代には一貫して商業だけの中心地でした。その伝統から「お金」でモノを考える大阪人の気質は当然です。

友人・知人として大阪人と付き合うのは苦手な人も多いでしょうが、お人よしすぎる多くの日本人にとって「生き方」の参考になる点は多々あります。その代表が日本の多数派である「『家』第一主義」ではなく「能力主義」というところです。

俗に「士農工商」と呼ばれた江戸時代、武士やそれより上の階層にとって大切なのは「家」でした。たった一つの血統である天皇を頂点とする最古の国日本にあって、上層部の「家意識」は古代からありましたが、平和な二百数十年が下級武士にまで「家意識」を持たせました。町村の上層部も（江戸時代中期以降は）武士の地位を購入できたので「家意識」が成長したはずです。

戦わない武士にとって「能力」は必要ありません。妻や妾が男の子を生んでさえくれれば「家」は潰れないからです。

これに対し商人の世界は、戦わなくなった武士の世ほど甘くはありません。トップが無能ならその店は潰れるし、店で働く人は無能ならすぐクビになる。命こそ取られませんが、江戸時代になっても日々下剋上が続いたのです。その結果、大阪商人の間には、江戸時代の多数派である「『家』第一主義」とは異なる「店第一主義？」＝「能力主義」が誕生しました。

それが「有能な婿取り」です。

現代も同じですが、会社経営で成功している人は「自分がいる限りは大丈夫」と考えます。しかし、人には寿命がありますから次世代を考えなければなりません。その時に江戸時代の多数派だった「『家』第一主義」とそこから発生する「長男優遇」では、次世代に店が潰れる確率が高くなります。

そもそも優秀な人の長男が優秀とは限らないし、優秀と思っても自分の子どもなので評価が甘いだけかもしれません。「長男優遇」を捨て、息子の中で一番優秀な子を選ぶにしても、所詮は数人の中のマシな子どもを選ぶだけですから、次代に店が潰れる確率は少し下がるだけです。

そこで編み出されたのが、最も優秀な従業員を長女の婿にするという手法でした。ただし、それだけでは従業員間で「足を引っ張る」争いが起きかねません。そこで、次女、三女も優秀な従業員と結婚させて「のれん分け」をするという手法も編み出したのでした。

●長女主義は「家」概念の否定

「いとさん」「こいさん」という言葉をご存じでしょうか。これは大阪船場商人の間で、使用人が主人の娘たちを呼ぶ際に使っていた言葉です。

武家や村での地位が高い農家の人達が長男を幼い時から別格に扱うように、大阪船場商人の世界では長女が別格に扱われ「いとさん」（あるいは「いとはん」）と呼ばれたのでした。これに対し次女以下は「こいさん」（あるいは「こいはん」）でＯＫでした。長女だけが呼び方が変わる理由は、彼女の配偶者になれれば本店を継げるからです。

三姉妹の場合、次女と三女は同じ「こいさん」と言うと区別が付かないため、長女を「とうさん」と言い、次女を「いとさん」と言い、三女を「こいさん」と言う店もあったようです。

長男主義も長女主義も男女が替わっただけで本質的に変わらないと考えるのは間違いです。幕府が日本を事実上支配し、他の地域では支配者層が「家」を重視し、下級武士や農家の地主層までがそれに合わせる時代に、真逆の長女主義を採用したのは（事実上の）長男主義の否定、ひいては「家」概念の否定です。

保守言論人の中には明治政府を理想と考える人が多く、その結果、明治政府が庶民にも押し付けた「家」概念にも肯定的評価をする人達が少なくありませんが、私は令和時代、「家」概念こそ少子化の最大要因であり、大阪船場商人が生んだ「店≒金＞家」という価値観こそ、令和を生きる日本人が見習うべき価値観だと考えます。

●同氏制度の勘違い

第5章で「選択的夫婦別姓」が騒がれている限り、これを認めるべきでないと主張しましたが、これは明治政府が国民全員に強制した夫婦同氏が正しいと考えているからではありません。何が正しく何が間違っているかは、その時、その土地の文化に過ぎません。

変化する文化もあれば、伝統として重視される文化もあります。では、何が変化（改正）すべきで、何が伝統として守るべきか。それは、その時、その場所の全体的利益で判断すべきではないでしょうか。

明治時代、最も大切なことは欧米の植民地にならない未来であり、そのためには国民意識の要請と徴兵制の成功が不可欠でした。そのために必要なのが、国民全員が「家」意識を持つことだったのです。庶民の実態は守るような「家」などありませんでしたが、「『○○家』の一員として恥ずかしくない」という、江戸時代までは武士や村の地主など準支配者層しか有しないプライドを国民全員に持ってもらう必要があったのです。

明治政府の策略は見事に成功し、9割前後の人々の氏は、明治時代にできたモノに過ぎないにもかかわらず、多くの人が「○○家」の誇りを持ったし、それが戦争の現場では軍人モラルを引き出したのだと思います。そんな中、明治政府の策略が失敗した地域がありました。それが江戸時代、すでに大物達＝大商家が「家」概念を事実上否定していた大阪です。

敗戦前の軍の部隊は、基本的に出身地を同じくする人々で組織されていました。その中で、負けそうになるとすぐに逃げ出し、圧倒的に弱かったのが大阪出身者で組まれた部隊だったそうです。これは大阪出身の司馬遼太郎が様々なところで書いていました。大阪人が個人レベルで戦闘力がない訳ではありません。それはボクシングなど格闘技の強者に大阪出身者が多いことからも分かるはずです。しかし、「○○家」という個人を超えたプライドを持たない姿勢が、個々人は弱くないのに負けそうになるとすぐに逃げ出す大阪人部隊を作ったのではないでしょうか。

令和時代、「家」意識は百害あって一利もありません。相手の「家」に嫁（または婿）に行くという発想が若い人達の婚姻の邪魔になっているし、「○○家」というだけで票を入れる人達が無能な2世、3世、4世の政治家を生み出し続けているのです。

●「金は汚い」という洗脳

大阪人に困った面はありますが、それでも令和時代こそ「多くの日本人は大阪人を見本とすべき」と考えます。その代表が「金は汚い」という江戸時代以降４００年にわたる洗脳から免れている点です。

江戸時代はもちろん、近代国家になってからも多くの日本人には「金は汚い」という不思議な価値観が残っていました。人類の歴史を見れば貨幣は「交換価値」に過ぎず、そこに綺麗も汚いもありません。安土桃山時代末期から江戸時代にかけて、支配者は主な交換価値を貨幣から米に無理やり変更しましたが、米が美しい訳でもなければ、貨幣が汚い訳でもないのです。

しかし、それ以降の政権は４００年にわたって

「米は他の農産物よりも綺麗なモノで米を食べるときにはそれを作ってくれた農村に感謝すべき」

「貨幣は汚いモノで、それにこだわる人の心も汚い」という洗脳を続けてきたのでした。

もちろん、貨幣よりも米を重視した支配者の「建前」が、様々な面で上手くいった時もありました。

米は貨幣と違い数年で消費しなければならないので、独り占めには限度があります。また貨幣に対しては無限の欲望を持つことが可能ですが、米への欲望＝食欲は人によって違いはあっても格差は大きくありません。それゆえ、飢饉時には民に米を配る大名がいましたし、飢饉には一丸となって耐えるという価値観も生まれました。その影響か、近代国家になっても恐慌は国民が一丸となって耐えるという洗脳が簡単にできました。

飢饉が起きても恐慌になっても内戦が起きる気配すらない、「226事件」のように軍部がクーデターを起こしてもすぐに潰される「不思議な国」の誕生には、400年にわたる「金は汚い」という洗脳があったからです。

「金は汚い」という価値観の結果、江戸時代末期には「貧しいエリート」が誕生しました。分かりやすいのは、西郷隆盛と交渉して江戸城の無血開城に成功した勝海舟です。彼は41石余という極めて貧しい武士の子に生まれ陸軍総裁まで出世しましたが、それでも役高は5000石程度です。父に比較すれば高い俸禄ですが、大名と呼ばれるのは1万石以上からなので、幕府には数千石の高給を得る旗本が大勢いました。それでも意思決定権は有能な彼に移ったのです。事実上の意思決定権が、地位・肩書ではなく給料の低い有能な人に移る。こういった現象は今も企業や官公庁に起きています。

●大阪人を見習うべきところ

失われた30年の間、大阪は経済的に発展しないどころか日本の足を引っ張りました。しかし、それは戦後になって、地方交付税交付金という悪しき公平制度と「福祉」という大阪人に最も合わない社会システムを導入したからです。

しかし、日本全体が経済的敗戦国になった令和時代だからこそ、日本人全体が大阪人の以下の点を見習うべきです。

1　ヤバいことは「知らん」の活用で逃げよう

ユダヤ人虐殺を個人と1政党の責任にするドイツ、戦争犯罪を謝らないアメリカ、三枚舌を使うイギリス、14億人を独裁で縛り付ける中華人民共和国、「従軍慰安婦」にされたとして日本から金を取った韓国など、世界は恐ろしい民族と理不尽な国家で溢れています。彼らに対抗するためには、大阪人の「知らん（「知らない」という意味）」活用精神が必要です。

今でも日本を豊かな国と勘違いして、発展途上国は日本に金を出させようとしますし、岸田政権はそれに応えようとしています。第二次世界大戦で日本が軍事進出した地域は、すでにほとんどが経済発展したので、今さら私達の税金を使う必要などありません。何を要求されても「知らん」精神で逃げ切りましょう（図表14）。

図表14　大阪弁「知らん」のバリエーション

大阪弁	意味
知らん	本当に知らない
知らんわ	私もしらない
知らんし	どうでもいい
知らんねん	知らなくて申し訳ない
知らんがな	関係ない／興味ない
知らんけど	確信はない／責任はもたない

2　儒教モラルと「家意識」を捨てよう

日本の課題は、結局のところ「少子化」と「失われた30年」につきます。先進国は多くの国が「少子化」に悩んでいますが、とりわけ儒教由来の「家」や「血統」意識の強い日中韓では凄まじい少子化が起きています（中国1・45人-211位、日本1・39人-215位、香港1・23人-224位、シンガポール1・17人-225位、韓国1・11人-226位、台湾1・09人-227位　全227の国と地域での順位）アメリカCIA発表の「The World Factbook」より。

だったら、それを捨てるべきです。日本の場合は国民全員に苗字が付いたのは明治以降ですから、血統意識は弱いのですが、その分、天皇を長とする「家」意識の洗脳が強烈でした。「家」意識は今も強く残っており、庶民が結婚する時、江戸時代の名家のように、親の承諾を得ようとするのはその典型です（憲法上も民法上も婚姻に親の承諾は不要です）。また、無能な長男でも長男というだけで「跡継ぎ」として優遇するのも、その一つです。

前者は大阪にも強く残っていますが、後者は大阪では江戸時代からさほどありませんでした。興味深いのは、サラリーマンが流行した戦後の高度経済成長期、大阪の商店で親の跡を継ぐのは「出来の悪い方の子ども」だったことです。私自身、兄よりも出来の悪い子どもだったので親から「跡を継ぐぐとしたらお前」と期待されていましたし、他の商店の子達を見ても、その空気が多数派でした。

いずれにしても儒教精神は、若者の婚姻や婚姻なき出産にストップをかけ「少子化」の原因になっています。また、日本では「金儲け」に否定的で「失われた30年」を生みました。儒教精神は令和時代の諸悪の根源です。「お人よし」すぎる日本人の多くが、大阪人を見習って、儒教モラルを捨てることこそ、日本は再発展する第一歩になると信じています。

国家神道と儒教を上手くリンクさせて庶民にも「家意識」を持たせた明治政府の政策は、欧米諸国から侵略されなかった強い大日本帝国を造るのに役立ちました。しかし、ある時代に国益に役立った考え方が、次の時代の国益に反するという事態は珍しくありません。

ＧＨＱにより「家制度」を廃止され、独立後の政府はその復活をしなかったのに、80年近く経った今も残る「家意識」の残像は、国益に百害あって一利なしです。

あとがき

治安が良く、食べ物がおいしく、物価が安く、世界一高額な生活保護費が貰え、街行く外国人へのヘイトスピーチのない日本は、消費者天国です。

でも、労働時間が長く、職場でのセクシャルハラスメントやパワーハラスメントは無くならず、それを指摘すると指摘した方が左遷され、訴訟して買っても少額な賠償金しかもらえず、給料は先進国一安く、多額な社会保険料を取られ、高齢になってもらえる年金が少額な日本は、労働者地獄です。

そして、消費者天国を守るのがいわゆる「左」であり、労働者地獄を維持するのが「右」ではないでしょうか。つまり、一見対立しているように見える「左」と「右」は、今の「奴隷国家ニッポン」を守ろうとする同盟者なのです。

最近の若い人々は、企業内の昇進意欲が少ない分、投資意欲が旺盛で、ＦＩＲＥ（ファイナンシャル・インディペンデンス・リタイア・アーリィ＝経済的に自立してさっさと引退する生活）を目指す人が多いとか。きっと、この国で労働者として生きることのバカらしさに気づいたのでしょう。

どうしてこんな国になってしまったのか。それは、ＧＨＱやその傘下の学会やメディアに、本来対立しないナショナリズムと経済的弱者の保護を対立的なモノと言われ、洗脳されたからです。敗戦後はナショナリズムの重要性を言うだけで「右翼」扱いされる時代が長く続きました。また、企業傘下の労働者が左翼勢力を支持してくれなかったため、日本のマルキスト達は本来の思想から外れ、真面目に働かない自業自得な経済的弱者の保護に走りました。

その結果が消費者天国と労働者地獄が並立する今の日本です。

そろそろ、この状態を卒業しませんか。

売国奴に支配され「いい人」であり続ける日本人から見ると、国益をむき出しにしている他国は嫌な国々ですが、あちらが「普通の国」です。貧しい日本の労働者からむしり取った税金を、日本に住む働かない外国人に配ろうとする左翼勢力も異常ならば、働かない人だらけの発展途上国に配ろうとする岸田政権も異常です。

エゴイスティックに自国の国益を目指し、エゴイズムがバレないように自国のモラルを綺麗事に変えて他国に押し付け、自国の酷い歴史を誤魔化して国民に誇りを持たせる。それこそが普通の国なのです。そろそろＧＨＱの洗脳から解放され、私達も普通の国に住む、普通の国民になった方が良いのではないでしょうか。

そうしないと、自業自得の貧乏人や発展しない発展途上国に配る金さえ無くなり、本当に貧しい国の貧しい人々になってしまいます。本書がそれを引き留める一助になれば幸いです。

森口 朗（もりぐち あきら）

教育評論家。中央教育文化研究所代表。元東京都職員。1995～2005年まで、都内公立学校に出向経験がある。著書に、『いじめの構造』『日教組』『戦後教育で失われたもの』『誰が「道徳」を殺すのか』（以上、新潮新書）、『なぜ日本の教育は間違うのか』『自治労の正体』『左翼老人』『売国保守』『税をむさぼる人々』『左翼商売』『左翼の害悪』（以上、扶桑社新書）、『校内犯罪（いじめ）からわが子を守る法』（育鵬社）など。

扶桑社新書　491

奴隷国家ニッポン

欧米と中韓のズル賢さを見習おう

発行日 2024年3月1日　初版第1刷発行

著　　者………森口 朗

発 行 人………小池 英彦

発 行 所………株式会社　扶桑社

〒105-8070　東京都港区芝浦1-1-1　浜松町ビルディング

電話　03-6368-8870（編集）

03-6368-8891（郵便室）

ＤＴＰ制作………株式会社　明昌堂

印刷・製本………中央精版印刷株式会社

Printed in Japan　ISBN978-4-594-09581-9